Canciones de siempre

Francisco Vázquez

Canciones
de siempre

Revisión técnica de Joan Riera Robusté (compositor)

Licencia editorial para Bookspan por cortesía
de Ediciones Robinbook, S.L., Barcelona

Bookspan
501 Franklin Avenue
Garden City, NY 11530

Coordinación: Niké Arts, s.l.
Compaginación: Manuel Domingo, Niké Arts, s.l. y MC producció editorial
Ilustraciones: Susana Calvo y MasterClips (IMSI Collection).

© 2003, Ediciones Robinbook, s.l.
Diseño cubierta: Regina Richling.
Fotografía: Regina Richling.
ISBN-13: 978-84-7927-666-9

Impreso en U.S.A.

Índice

Presentación

El interés de la presente recopilación de canciones no se limita únicamente al ámbito musical, sino que posee un gran atractivo histórico al abarcar desde composiciones anónimas escritas en tiempos inmemoriales hasta prácticamente las canciones que «estrenan» el siglo XXI.

Si nos dedicamos sólo a ojear los textos de las canciones, encontraremos en ellas referencias a diferentes formas de vivir, de amar, de sentir, tanto en los aspectos más cotidianos de la existencia como en cuestiones más trascendentales, sean religiosas, políticas o sociales.

Estos sentimientos, como todos sabemos, siempre han sido esencialmente los mismos, aunque la forma en que se han manifestado ha variado en el transcurso del tiempo, y esto es lo que se descubre en este cancionero, con composiciones que se ciñen al ámbito de habla hispana.

Obviamente, no figuran todas las canciones que merecerían estar, ya que ello obligaría a una vasta recopilación, pero sí se recoge una buena muestra de todas aquellas canciones que han marcado una época y cuya vigencia se proyecta en el futuro.

Cabe decir que la mayoría de cancioneros editados suelen caracterizarse por la complejidad del acompañamiento de la obra. Ello provoca que no estén al alcance del gran público, sino sólo de una minoría de personas con una determinada formación musical. Por esta causa, los cancioneros no suelen despertar excesivo interés, ya que resultan un rompecabezas casi ilegible.

Sin embargo, el cancionero que el lector o aficionado a la música tiene en sus manos destaca técnicamente por la simplificación en el acompañamiento de las obras, ya sea con guitarra o con órgano eléctrico. En efecto, sin que ello signifique una pérdida en la calidad de la canción, hemos realizado pequeños cambios para una mejor comprensión del acompañamiento musical; de esta manera, por ejemplo, hemos evitado la inclusión de notas aumentadas o disminuidas. Además, si consideramos las equivalencias entre los acordes (por ejemplo, un «La♯» es lo mismo que un «Si♭»), comprobaremos que la tarea de «entender» técnicamente la canción es más sencilla de lo que se cree.

Para facilitar todavía más el acompañamiento musical hemos consignado los acordes de todas las estrofas en su lugar correspondiente, al contrario de lo que suelen indicar la mayoría de cancioneros, que presentan los acordes en el orden en que aparecen dentro de la canción, sin señalar las repeticiones. Con los acordes sugeridos para cada canción se conseguirá un acompañamiento muy correcto, y en numerosos casos incluso no sería necesario utilizar todos los acordes escritos para realizar un acompañamiento aceptable.

Evidentemente, en una canción, tras haber acotado el estribillo cuando aparece por primera vez, nos limitamos a señalar el lugar en el que vuelve a repetirse; para ello empleamos la palabra ESTRIBILLO y reescribimos la primera frase que da pie al mismo.

Hasta aquí las escasas consideraciones técnicas previas a la antología de canciones; escasas porque, a propósito, hemos pretendido ofrecer un cancionero realmente sencillo y útil para la mayoría de personas interesadas en la música de hoy y de siempre.

Acordes de guitarra

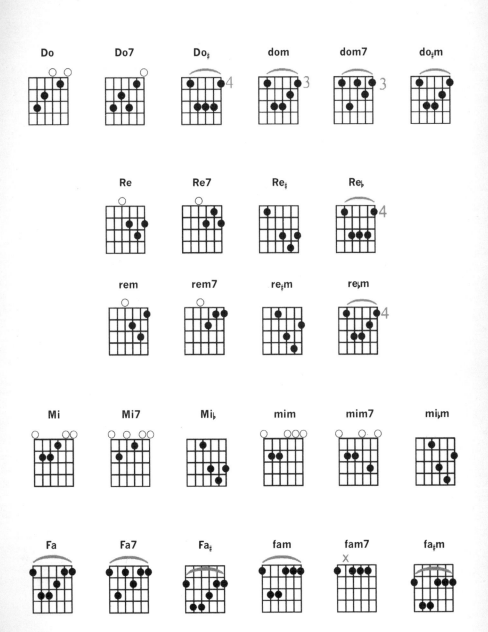

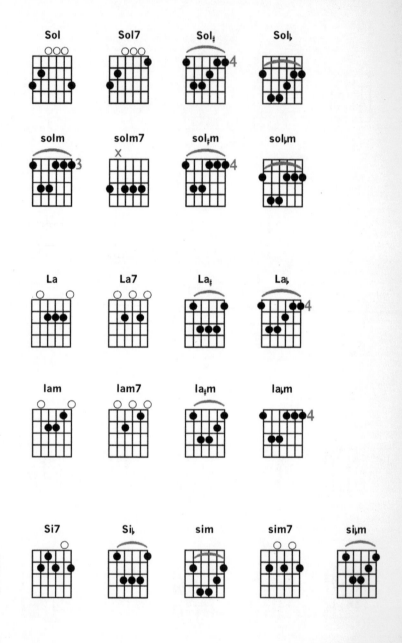

Acordes de órgano eléctrico

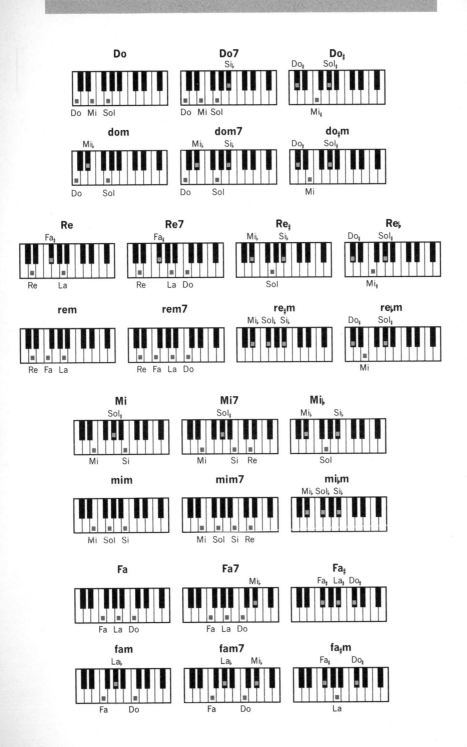

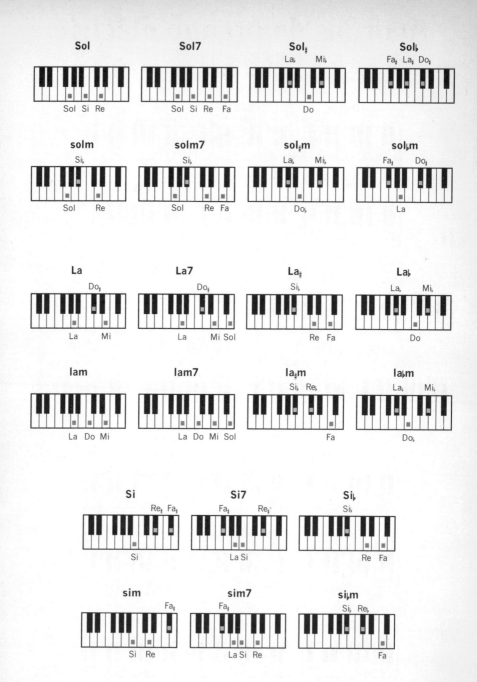

Antología de canciones

El abeto

Popular

Abeto fiel, abeto fiel,
Sol   Re Sol

hoy adornado estás,
        lam   Re   Sol

abeto fiel, abeto fiel,
Re Sol   Re Sol

hoy adornado estás,
        lam   Re Sol

tus ramas perfumadas
        Sol   lam

presiden el hogar.
        Re   Sol

Abeto fiel, abeto fiel,
Sol   Re Sol

hoy adornado estás,
        lam   Re   Sol

abeto fiel, abeto fiel,
Re Sol   Re Sol

que verde siempre estás
        lam   Re Sol

y en Navidad con luces mil
        Sol   lam

al niño Dios velando estás.
        Re   Sol

Abeto fiel, abeto fiel,
Re Sol   Re Sol

que verde siempre estás.
        lam   Re   lam   Re   Sol

Acurrúcame

Popular

Esta noche, muñeca divina,
 lam   Mi7   lam
con mi mandolina te vengo a cantar.
                             Mi7

Sal prontito, carita de cielo,
que tenga el consuelo de verte asomar.
           rem   Mi7   lam

Son mis notas lamentos del alma,
              Mi7   lam
suspiros que vuelan hacia tu balcón.
            La7   rem
No consientas, carita morena,
                          lam
que muera de pena y desilusión.
            Mi7   La

ESTRIBILLO
Acurrúcame, como a un niño que
La Mi7 La   sim
                 [tiembla de frío,
                      Mi7
acurrúcame, en un sueño de eterna
sim Mi7   sim   Mi7
                 [pasión.
                      La
Acurrúcame, que no puedo sufrir
La Mi7   La   La7
                 [tus desvíos,
                      rem
que tu amor ha de ser sólo mío,
                          lam
por favor dame tu corazón.
     Mi7   lam

Otra vez a rondarte he venido,
    lam Mi7   lam
de amores transido, soñando al cantar.
                             Mi7

En tus labios quisiera algún día,
hallar, vida mía, la felicidad.
           rem   Mi   lam

Son mis notas lamentos del alma,
              Mi7   lam
suspiros que vuelan hacia tu balcón.
            La7   rem
no consientas, carita morena,
                          lam
que muera de pena y desilusión.
            Mi7   La

ESTRIBILLO
Acurrúcame, como a un niño que
tiembla de frío...

Adelita

Popular

Si Adelita se fuera con otro
La   **Re** **La**   **La7**
la seguiría por tierra y por mar,
   Re   **Mi**
si por mar en un buque de guerra,
               La
si por tierra en un tren militar.
  Re   **Mi** **La**

Y si acaso yo muero en la guerra,
   La   **Re** **La** **La7**
y si mi cuerpo en la tierra va a quedar,
  Re   **Mi**
Adelita, por Dios te lo ruego,
         La
que tú por mí no vayas a llorar.
  Re   **Mi**   **La**

Si Adelita quisiera ser mi esposa,
  La   **Re**   **La**   **La7**
si Adelita fuera mi mujer,
 Re   **Mi**
le compraría un vestido de seda
 La   **Re**
para llevarla a bailar al cuartel,
  Mi   **La**
¡para llevarla a bailar al cuartel!

Adiós con el corazón

Popular

ESTRIBILLO
Adiós con el corazón,
   Re   La7
que con el alma no puedo.
     mim La7   Re
Al despedirme de ti,
   Re   La7
al despedirme me muero.
   mim   La7   Re

Tú serás el bien de mi vida,
  La7   Re
tú serás el bien de mi alma,
  La7   Re
tú serás el pájaro pinto
   La7   Re
que alegre canta en la mañana.
  Si7   mim La7   Re

Al amanecer se marcha el tren,
       Re
se va mi amor, yo me voy con él. (2)
     La7   Re

No hay quien pueda, no hay quien pueda,
        Re   La7
con la gente marinera.
  mim La7 Re
Marinera, pescadora, no hay quien pueda,
      La7 mim   La7
por ahora.
  Re

Si te quieres casar con las chicas de aquí,
      La7   Re
tienes que ir a buscar capital a Madrid,
      La7   Re
capital a Madrid, capital a Madrid,
    La7   Re
si te quieres casar con las chicas de aquí.
    La7   Re

ESTRIBILLO
Adiós con el corazón...

Adiós, llanera

P. E. Gutiérrez

Ah ah ah, ah ah ah, la la la
rem solm La7   rem

ESTRIBILLO
Por si acaso ya no vuelvo
        rem   solm
me despido a la llanera,
        La7   rem
Venezuela, Venezuela,
solm   La7
despedirme yo quisiera,
                    rem
pero no encuentro manera.
solm   La7

Si yo pudiera tener alas para volar
rem   solm
como tengo un corazón que sabe muy bien amar.
La7   rem   solm   La7
Cuántas veces yo quisiera
rem
que estuvieras junto a mí,
solm
pero no encuentro manera
La7   rem
de acercarme un poco a ti.
                  solm   La7

Mañana cuando partamos
     Re   Sol
un recuerdo te dejaré,
     La7   Re   Sol La7 Re
mis lágrimas en tus manitas
        Re   Sol
y de ti qué me llevaré.
     La7   Re

ESTRIBILLO
Por si acaso ya no vuelvo...

Ah ah ah, ah ah ah, ah ah ah, la la la

Adiós, Mariquita linda

M. Jiménez

Adiós, Mariquita linda,
Sol
ya me voy porque tú ya no me quieres
como yo te quiero a ti.
Re7

Adiós, chaparrita chula,
ya me voy para tierras muy lejanas
Iam7
y ya nunca volveré.
Re7   **Sol**

Adiós, vida de mi vida,
Sol Mi7
la causa de mis dolores,
Iam
el amor de mis amores,
dom   **Sol**
el perfume de mis flores
Re7
para siempre dejaré.
Sol

Adiós, Mariquita linda,
Sol
ya me voy con el alma entristecida
por la angustia y el dolor.
Re

Me voy porque tus desdenes sin piedad
Sol
han herido para siempre mi pobre corazón.
Re

Adiós, mi casita blanca,
Sol Mi7
la cuna de mis amores,
Iam
al mirar entre las flores
dom   **Sol**
y al cantarte mis dolores
Re7
te doy mi postrer adiós.
Sol

A fuego lento

Rosana

<u>A</u> fuego lento tu m<u>irad</u>a,
Si   Mi
<u>a</u> fuego lento tú o <u>nad</u>a,
Fa♯   Si
<u>va</u>mos fraguando esta l<u>oc</u>ura
sol♯m   Mi
con la fuerza de los <u>vie</u>ntos y el sabor
           Fa♯
           [de la tern<u>ur</u>a.
           Si

<u>Si</u>gue el camino del cor<u>tej</u>o
Si   Mi
<u>a</u> fuego lento a fuego vi<u>ej</u>o,
Fa♯   Si
<u>si</u>gue avivando nuestra <u>ll</u>ama
sol♯m   Mi
con todo lo que te <u>qui</u>ero y lo mucho
           Fa♯
           [que me a<u>mas</u>.
           Si

<u>A</u> fuego lento me haces <u>ag</u>ua
Si7   Mi
con<u>ti</u>go tengo el alma ena<u>mor</u>ada
    Fa♯   Si
<u>me</u> llenas, me vacías, me de<u>sar</u>mas
sol♯m   Mi
ay <u>ay</u> ay amor cuando me <u>am</u>as,
    Fa♯   Si
<u>a</u> fuego lento rev<u>olt</u>osas
Si7   Mi
ca<u>ric</u>ias que parecen mar<u>ip</u>osas
    Fa♯   Si
<u>se</u> cuelan por debajo de la <u>ro</u>pa.
sol♯m   do♯m
Y van dejando el sent<u>im</u>iento amor
           Fa♯
           [forjado a fuego <u>le</u>nto.
           Si

<u>A</u> fuego lento mi cint<u>ur</u>a,
Si7   Mi
a <u>fue</u>go lento y con lis<u>ur</u>a,
    Fa   Si
<u>va</u>mos tramando este alb<u>oro</u>to
sol♯m   Mi
con la danza de los <u>mar</u>es y el sabor
           Fa♯
           [del poco a <u>po</u>co,
           Si
<u>si</u>go el camino del cor<u>tej</u>o,
Si   Mi
a <u>fue</u>go lento a fuego a<u>ñe</u>jo,
    Fa♯   Si
<u>si</u>go avivando en nuestra <u>ll</u>ama
sol♯m   Mi
tantos días como su<u>eño</u>s, tantos sueños
           Fa♯
           [que no aca<u>ban</u>,
           Si
a <u>fue</u>go lento me haces ag<u>ua</u>...
    Si7   Mi

A fuego le<u>nto</u>, <u>a</u> fuego lento, <u>ay</u> ay ay
        Mi Fa♯   sol♯m
           [ay <u>ay</u>...
           do♯m

A fuego lento, <u>a</u> fuego lento, <u>a</u> fuego
        Mi   Fa♯
           [lento...

A galopar

R. Alberti – P. Ibáñez

Las tierras, las tierras, las tierras de España,
mim
las grandes, las solas, desiertas llanuras.
Do
Galopa, caballo cuatralbo,
   sim
jinete del pueblo, que la tierra es tuya.
                                    Do

ESTRIBILLO
¡A galopar,
         sim
a galopar
hasta enterrarlos en el mar! (2).
            Do

A corazón suenan, suenan, resuenan
mim
las tierras de España en las herraduras.
Do
Galopa, caballo cuatralbo,
sim
jinete del pueblo, que la tierra es tuya.
                                    Do

ESTRIBILLO
¡A galopar...! (2)

Nadie, nadie, nadie, que enfrente no hay nadie;
mim
que es nadie la muerte si va en tu montura;
Do
galopa, caballo cuatralbo,
sim
jinete del pueblo, que la tierra es tuya.
                        Do
ESTRIBILLO
¡A galopar...! (2)

Agapimú

Conte – Martini – Baldán

Tiemblas amor mío como una gota de rocío, agapimú.
Mi   **do#m**   **La**   **Si**   **do#m**

Entras en mi cuerpo como la lluvia entra en su huerto, agapimú.
Mi   **do#m**   **La**   **Si**

Nombras tú mi nombre como jamás lo dijo un hombre, agapimú.
Mi   **do#m**   **La**   **Si**   **do#m**

Tocas mi cintura como la hiedra a poca altura, agapimú.
Mi   **do#m**   **La**   **Si**

Eres el viento que nos besa, eres el peso que no pesa,
La   **Si**

eres fuego y frío ni más ni menos amor mío, agapimú,
La   **Si**   **do#m**

ah, agapimú,   ah,   agapimú,   ah,   agapimú.
La   **Si**   **do#m**   **La**   **Si do#m**   **La Si**   **Mi**

Me hablas al oído y todo tiene otro sentido, agapimú.
Mi   **do#m**   **La**   **Si do#m**

Y me siento nueva como la nieve cuando nieva, agapimú.
Mi   **do#m**   **La**   **Si**

Dices que me quieres con una fuerza que me hiere, agapimú.
Mi   **do#m**   **La**   **Si**

Y me siento entera como una blanca primavera, agapimú.
Mi   **do#m**   **La**   **Si**

Eres el mar cuando se enfada, eres la noche iluminada.
La   **Si**

Eres como el río que va regando el amor mío, agapimú,
La   **Si**

ah, agapimú,   ah,   agapimú,   ah,   agapimú.
La   **Si**   **do#m**   **La**   **Si do#m**   **La Si**   **Mi**

Quédate conmigo, te pongo al cielo por testigo, agapimú.
Mi   **do#m**   **La**   **Si**   **do#m**

Quédate a mi lado, tengo el amor por aliado, agapimú.
Mi   **do#m**   **La**   **Si**

Eres el sol cuando amanece, eres la espiga cuando crece.
La   **Si**

Eres fuego y frío ni más ni menos amor mío, agapimú,
La   **Si**

ah, agapimú,   ah,   agapimú,   ah,   agapimú.
La   **Si**   **do#m**   **La**   **Si do#m**   **La Si**   **Mi**

Al alba

L. E. Aute

<u>Si</u> te dijera, amor <u>mí</u>o,
lam   rem
que temo a la madru<u>ga</u>da,
       lam
no sé que estrellas so<u>n</u> esas,
      rem
que hieren como ame<u>na</u>zas,
       lam
dicen que sangra <u>la</u> luna
     rem Mi
al filo de la gua<u>da</u>ña.
     lam

Pres<u>ien</u>to que tras la <u>no</u>che
  rem   Mi
ven<u>drá</u> la noche más <u>lar</u>ga,
  La   fa♯m
qu<u>ie</u>ro que no me aband<u>o</u>nes,
  Re   sim
<u>am</u>or mío, al <u>al</u>ba.
Mi   fa♯m

ESTRIBILLO
Al alba, al <u>al</u>ba,
    Mi
al alba, al <u>al</u>ba...
    fa♯m

<u>Los</u> hijos que no tuv<u>i</u>mos
lam   rem
se esconden en las cloa<u>cas</u>,
       lam
comen las últimas <u>flo</u>res,
      rem
parece que adivi<u>na</u>ran
     lam
que el día que se a<u>ve</u>cina
     rem Mi
viene con hambre atra<u>sa</u>da.
     lam

Pres<u>ien</u>to que tras la <u>no</u>che
  rem   Mi
ven<u>drá</u> la noche más <u>lar</u>ga,
  La   fa♯m
qu<u>ie</u>ro que no me aband<u>o</u>nes,
  Re   sim
<u>am</u>or mío, al <u>al</u>ba.
Mi   fa♯m

ESTRIBILLO
Al alba, al alba...

<u>Mi</u>les de buitres ca<u>lla</u>dos
lam   rem
van extendiendo sus a<u>las</u>.
       lam
¿No te destroza, amor <u>mí</u>o.
       rem
este silencio al al<u>ba</u>?
     lam
¡Maldito baile de m<u>ue</u>rte,
      rem Mi
pólvora de la ma<u>ña</u>na!
     lam

Alfonsina y el mar

A. Ramírez

Por la blanda arena que lame el mar,
solm — **La** — **rem**
su pequeña huella no vuelve más.
Mi7 — **lam**
Un sendero sólo de pena y silencio
Fa **Sol7** **Do**
llegó hasta el agua profunda.
rem **lam** **Mi7 La7**
Un sendero sólo de penas mudas
rem **Sol7** **Do**
llegó hasta la espuma.
rem **lam Mi7** **lam**

Sabe Dios qué angustia te acompañó,
solm La7 **rem**
qué dolores viejos calló tu voz,
Mi7 **lam**
para recostarte arrullada en el canto
Fa **Sol7** **Do**
de las caracolas marinas.
rem **lam** **Mi7 La7**
La canción que canta en el fondo
rem **Sol7**
                          [oscuro
                          Do
del mar, la caracola.
rem **lam Mi7 lam**

ESTRIBILLO
Te vas Alfonsina con tu soledad,
rem7 Sol7 **Do**
¿qué poemas nuevos fuiste a buscar?
solm La7 **rem**
Una voz antigua de viento y de sal
rem **Mi7** **lam**
te requiebra el alma y la está llamando,
Mi7 **solm La7**

y te vas hacia allá como en sueños,
rem **Mi7** **lam**
dormida, Alfonsina, vestida de mar.
Fa **Si7** **Mi7** **lam**

Cinco sirenitas te llevarán
solm **La** **rem**
por caminos de algas y de coral,
Mi7 **lam**
y fosforescentes caballos marinos
Fa **Sol7** **Do**
harán una ronda a tu lado;
rem **lam** **Mi7 La7**
y los habitantes del agua
rem **Sol7**
van a jugar pronto a tu lado.
Do **rem lam** **Mi7 lam**

Bájame la lámpara un poco más,
solm **La7 rem**
déjame que duerma, nodriza en paz,
Mi7 **lam**
y si llama él no le digas que estoy,
Fa **Sol7** **Do**
dile que Alfonsina no vuelve,
rem **lam** **Mi7 lam**
y si llama él no le digas nunca que
rem **Sol7 Do**
                          [estoy,
                          rem
di que me he ido.
lam **Mi7 lam**

ESTRIBILLO
Te vas Alfonsina con tu soledad...

Allá en el rancho grande

Popular

Allá en el rancho grande,
Mi

allá donde vivía.
Si7

Había una rancherita

que alegre me decía,
Mi

que alegre me decía:

«Te voy a hacer unos calzones
Si7

como los usa el ranchero;
Mi

te los comienzo de lana,
Si7

te los acabo de cuero».
Mi

«Nunca te fíes de promesas,
Si7

ni mucho menos de amores;
Mi

que si te dan calabazas,
Si7

verás lo que son ardores».
Mi

«Pon muy atento el oído
Si7

cuando rechine la puerta;
Mi

hay muertos que no hacen ruido
Si7

y son muy gordas sus penas».
Mi

Alma, corazón y vida

T. Manlio – S. S'Sposito

Recuerdo aquella vez que yo te conocí.
lam   **rem**

Recuerdo aquella tarde
                    lam

pero no recuerdo ni cómo te vi.
    Mi   **lam**

Pero si te diré que yo me enamoré
                           rem

de esos tus lindos ojos
                  lam

y tus labios rojos que no olvidaré.
    Mi   **lam**

Oye esta canción que lleva
alma, corazón y vida.
  Sol

Estas tres cositas nada más te doy
 Fa   **Mi**

porque no tengo fortuna.
lam

Esas tres cosas te ofrezco,
  Sol

alma, corazón y vida y nada más.
Fa   **Mi**

Alma para conquistarte,
rem

corazón para quererte
lam

y vida para vivirla
Mi

junto a ti. (2)
    lam

Alma llanera

P. E. Gutiérrez

ESTRIBILLO
Yo nací en una ribera
Re

del Arauca vibrador.
Mi   La

Soy hermana de la espuma,
Sol   La

de las garzas, de las rosas.
Sol   La

Soy hermana de la espuma,
Sol   La

de las garzas, de las rosas
Sol   Re

y del sol, y del sol.
La   Re

Me arrulló la viva diana
Re

de la brisa en el palmar
Mi   La

y por eso tengo el alma
Sol   La

como el alma primorosa,
Sol   La

y por eso tengo el alma
Sol   La

como el alma primorosa,
Sol   Re

del cristal, del cristal.
La   Re

Amo, canto, lloro, sueño,
Re   Sol   La   Re

con claveles de pasión,
Sol

con claveles de pasión. (2)
La   Re

ESTRIBILLO
Yo nací en una ribera...

♩ 30

Amante bandido

Bosé – Aldrighetti – Avogadro – Cossu – Ameli

Yo seré el viento que va, navegaré por tu oscuridad,
Fa fa#m   Sol   La Fa fa#m   Sol   La
tú, rocío, beso frío, que me quemará.
sim fa#m Sol Re Fa   La

Yo seré tormenta y amor, tú la marea que arrastra a los dos.
Fa fa#m   Sol   La Fa   fa#m   Sol   La
Yo y tú, tú y yo,
Fa fa#m Sol   La
no dirás que no, no dirás que no, no dirás que no.
sim fa#m   Sol   Re Fa La

Seré tu amante bandido, bandido, corazón, corazón malherido,
La   Re   La   Sol
seré tu amante cautivo, cautivo, seré ¡au!
La   Re   La   Sol
Pasión privada, dorado enemigo, huracán, huracán abatido.
La   Re   La   Sol
Me perderé en un momento contigo, por siempre.
La   Re   La Sol   La

Yo seré un hombre por ti, renunciaré a ser lo que fui,
Fa fa#m   Sol   La Fa   fa#m   Sol La
yo y tú, tú y yo,
Fa fa#m Sol   La
sin misterio, sin misterio, sin misterio.
sim   fa#m   Sol   Re   Fa   La

Seré tu amante bandido, bandido, corazón, corazón malherido,
La   Re   La   Sol
seré tu amante cautivo, cautivo, seré ¡au!
La   Re   La   Sol

Seré tu héroe de amor (3)
La   Fa fa#m Sol

Seré el amante que muere rendido, corazón, corazón malherido,
La   Re   La   Sol
seré tu amante bandido, bandido, seré ¡au!
La   Re   La   Sol
Y en un oasis prohibido, prohibido,
La   Re   Sol
por amor, por amor concebido
La   Re   Sol
me perderé en un momento contigo.
La   Re   La

Seré tu héroe de amor.
La   Fa

Amapola

J. M. Lacalle

De amor, en los hierros de tu reja,
lam   Mi7
de amor escuche la triste queja,
       lam
de amor que sonó en mi corazón
  rem   lam
diciéndome así con su dulce canción.
 Mi   Si7   Mi7 Sol7

Amapola, lindísima amapola,
   Do
será siempre mi alma tuya sola.
       rem Sol7
Yo te quiero, amada niña mía,
         rem
igual que ama la flor la luz del día.
       Sol7 Do

Amapola, lindísima amapola,
   Do
no seas tan ingrata, á-ma-me,
      La rem La7 rem
Amapola, amapola,
  Fa fam Do dom
cómo puedes tú vivir tan sola.
  rem7   Sol7   Do

Amar o morir

D. Rivera

Qué sería del árbol que nace,
     lam
si no hubiera lluvia, si no hubiera sol,
    Mi7   **lam**
de la noche desnuda de estrellas,
           Re7   **Sol**
del silencio, si no hubiera amor.
  Fa   **Mi7**

Qué sería del barco sin velas, qué sería de mí sin amor.
          lam   **Fa** **Mi7**
No, no, no podría vivir ni un instante,
  Mi7 lam   **Fa**   **Mi7**
no podría calmar mi dolor
  Fa   **Mi7**

Amar o morir,
  lam   **Mi7**
el amor es el alma de todo.
  lam   **Sol** **Do**

Amar o morir,
  lam
ay de aquel que en la vida está solo,
Mi7   **lam**   **Sol** **Do**
sin que nadie respire con él.
  Sol7

Amar o morir, no existe otro modo.
Do   **Si7**   **Fa** **Mi7**
Qué sería de todas las calles,
    lam
si no hubiera nadie prestando.
   Mi7

A mi palomita

Re7 Sol Si7 mim Re7 Sol Si7 mim Si7 mim Si7 mim

A mi palomita
mim

se la han robado cuatro coraceros,
  Sol   La   Sol

a ver si puedo rescatarla
La   Sol

con cuatro rifleros.
Si7   mim

Fuerza sí, fuerza no,
Do   Sol

quiero rescatarte mi niña,
La   Sol

para fuerza basto yo,
La   Sol

pobre mi cholitay.
Si7   mim

Por cerros y valles, entre las montañas,
mim   Sol

a orillas del lago, en la selva o braña,
La   Sol

no hay escondite profundo y lejano
La   Sol

que no pueda encontrar.
Si7   mim

A mi palomita (por cerros y valles, entre las montañas),
mim   mim   Sol

se la han robado cuatro coraceros (a orillas del lago, en la selva o braña),
  Sol   La   Sol La   Sol

a ver si puedo rescatarla (no hay escondite profundo y lejano)
La   Sol   La   Sol

con cuatro rifleros (que no pueda encontrar).
Si7   mim Si7   mim

Amor

R. López Méndez – G. Ruiz

ESTRIBILLO
Amor, amor, amor,
   Do
nació de ti, nació de mí,
de la esperanza.
         rem7 Sol7   rem7
Amor, amor,
Sol7 rem
   nació de Dios para los dos,
            Sol7
nació del alma.
         fam Do   lam Si7

Sentir que tus besos anidaron en mí,
   mim   **Si7**
igual que palomas mensajeras de paz.
                        mim
Amor que mis besos despertaron en ti,
Re7 Sol   **Re7**
pasión que lleva tu corazón el solaz.
                     Sol7

ESTRIBILLO
Amor, amor, amor...

Amor de hombre

Soutullo – Vert – L. G. Escolar

mim   Sol   Fa♯   Si7

Ay, amor de hombre, que estás haciéndome llorar una vez más,
mim Si7   mim Si7   Sol
sombra lunar, que me hiela la piel al pasar,
Si7   mim
que se enreda en mis dedos, me abraza en tu brisa,
                    Re   rem   Do
me llena de miedo.
   Do7   Si7

Ay, amor de hombre, que estás llegando y ya te vas una vez más,
mim Si7   mim Si7   Sol
juego de azar, que me obliga a perder o a ganar,
Si7   mim
que se mete en mi sueño, gigante pequeño de besos extraños.
               Re   rem   Do   Si7

Amor, amor de hombre, puñal que corta mi puñal, amor mortal,
   mim   Si7   Sol
te quiero, no preguntes por qué ni por qué no,
   Mi7   lam
no estoy hablando yo.

Te quiero, porque quiere quererte el corazón,
   Re7   Sol
no encuentro otra razón, canto de gorrión,
   mim   Do
que pasea por mi mente, anda ríndete
        Si7   Do
si le estás queriendo tanto.
    Si7

Ay, amor de hombre, que estás haciéndome reír una vez más,
mim Si7   mim Si7   Sol
nube de gas, que me empuja a subir más y más,
Si7   mim
que me aleja del suelo, me clava en el cielo con una palabra.
           Re   rem   Do   Si7

Amor, amor de hombre, azúcar blanca, negra sal, amor vital,
mim   Si7   Sol
te quiero...
   Mi7

Andaluces de Jaén

F. García Lorca – P. Ibáñez

ESTRIBILLO
Andaluces de Jaén,
Fa
aceituneros altivos,
rem
decidme en el alma, ¿quién,
Do7
quién levantó los olivos?
Fa
Andaluces de Jaén,
La7
andaluces de Jaén.
rem　　　　　**Do Fa**

No los levantó la nada
solm
ni el dinero ni el señor,
Do7
sino la tierra callada,
Fa
el trabajo y el sudor.
solm

Unidos al agua pura
Do7
y a los planetas unidos
Fa
los tres dieron la hermosura
Do
de los troncos retorcidos.
Fa
Andaluces de Jaén.
Do

ESTRIBILLO
Andaluces de Jaén...

Cuántos siglos de aceituna,
Do7
los pies y las manos presos,
Fa
sol a sol y luna a luna,
Do
pesan sobre vuestros huesos.
Fa
Jaén levántate, brava,
Do
sobre tus piedras lunares,
Fa
no vayas a ser esclava
Do
con todos tus olivares.
Fa
Andaluces de Jaén.
Do

ESTRIBILLO
Andaluces de Jaén...

Angelitos negros

A. E. Blanco – M. A. Maciste

Pint**or** nacido en mi **ti**erra
   lam   Sol
con el pincel extran**je**ro,
 Fa   Mi
pint**or** que sigues el r**um**bo
   rem   Mi
de **tan**tos pintores **vi**ejos,
   rem   Mi
aunque la Virgen sea **blan**ca
lam   Sol
pinta angelitos **ne**gros,
 Fa   Mi
que también se van al **ci**elo
rem   Mi
todos los negritos **bu**enos.
rem   Mi

Pintor, si pintas con am**or**,
rem   Mi
por q**ué** desprecias su col**or**
   lam   Sol
si sabes que en el **ci**elo
         Fa
también los quiere D**ios**.
      Mi

Pint**or** de santos de al**co**ba,
   lam   Sol
si tienes alma en el c**ue**rpo,
Fa   Mi
por qué **al** pintar en tus **cua**dros
     rem   Mi
te olvidas de los **ne**gros,
rem   Mi
siempre que pintas igl**e**sias
   lam   Sol
pintas angelitos bell**os**,
Fa   Mi
pero nunca te acorda**ste**
rem   Mi
de pintar un ángel **ne**gro.
     lam

Aquellos ojos verdes

A. Utrera – N. Menéndez

Aquellos ojos verdes
Sol7   **Do**
de mirada serena,
dejaré en mi alma
          Do#
eterna sed de amar,
       Sol7
anhelos de caricias,
de besos y ternuras,
de todas las dulzuras
     La7   **Re7**
que sabían brindar,
  Sol7

Aquellos ojos verdes
     Do
serenos como un lago
en cuyas quietas aguas
     La7
un día me miré,
    rem   **La7** **rem**
no saben las tristezas
     Fa   **fam**
que en mi alma han dejado
    Fa#   **Do** **Si♭** **La7**
aquellos ojos verdes
  Re7
que yo nunca besaré.
 Sol7   **Do**

Arre, arre, arre

Popular

En el portal de Belén
Do
hay estrellas, sol y luna,
Fa   **Do**
la Virgen y San José
     Sol
y el niño que está en la cuna.
     Do

ESTRIBILLO
Arre, arre, arre, la marimorena,
     Sol
arre, arre, arre que es la Nochebuena.
     Do

En el portal de Belén
Do
nació un clavel encarnado
     Fa   **Do**
que por redimir al mundo
     Sol
se ha vuelto lirio morado.
     Do

ESTRIBILLO
Arre, arre, arre la marimorena... (2)

Arrieros somos

C. Sánchez

Arrieros somos
   Do7   Fa
y en el camino andamos
    Do7   Fa
y cada quien tendrá su merecido.
                    Do7

Si todo el mundo salimos de la nada
                Do7   Fa
y a la nada, por Dios que volveremos,
           Fa7   Si♭
me río del mundo que al fin ni él es eterno,
                         Fa
por esta vida no más pasamos.
    Do7   Fa

Tú me pediste amor y yo te quise,
      Do7   Fa
tú me pediste mi vida y te la di
      Do7   Fa
y al fin de cuentas te vas, pos anda, vete,
      Fa   Fa7   Si♭
que la tristeza te lleve igual que a mí.
    Fa   Do7   Fa

Arrieros somos y en el camino andamos.
         Do7   Fa

Asturianina

Popular

Cruzando el mar
Do
por vez primera yo me vi,
Sol7
para ir a La Habana a buscar
rem   **Sol7**
el amor que perdí.
Do

Un bergantín
Do
que con rumbo se dirigió
Sol7
a la patria querida del bien
rem   **Sol7**
que mi pecho añoró.
Do

Era una asturianina
más hechicera que un serafín.
Sol7
Yo no he visto en el mundo
rem
cosa más bella que aquel rubí.
Sol7   **Do**

Dando un beso amoroso
cogió una rosa y vino hacia mí,
Do7   **Fa**
vino hacia mí llorando
Do
y me dio un beso, beso de amor.
Sol7   **Do**

Y en un velero
Sol7
yo me embarqué,
Do
porque a mi Asturias
Sol7
yo he de volver.
Do

Y hasta la muerte
Sol7
feliz seré,
Do **Do7**
porque a mi Asturias,
Fa
porque a mi Asturias,
Sol7
yo he de volver.
Do

Ay del chiquirritín

Popular

ESTRIBILLO
Ay del chiquirritín, chiquirriquitín,
Fa
metidito entre pajas,
Do
ay del chiquirritín, chiquirriquitín,
queridito del alma.
Fa

Entre un buey y una mula
Dios ha nacido
Do
y en un pobre pesebre
le han recogido.
Fa

ESTRIBILLO
Ay del chiquirritín, chiquirriquitín...

Por debajo del arco
del portalico
Sol
se descubre a María,
a José y el Niño.
Fa

ESTRIBILLO
Ay del chiquirritín, chiquirriquitín...

¡Ay, Jalisco no te rajes!

E. Cortázar – M. Esperón

Ay, Jalisco, Jalisco, Jalisco,
Do
tú tienes tu novia,
que es Guadalajara.
             Fa   **Sol7**
Muchacha bonita, la perla más cara.
de todo Jalisco es mi Guadalajara.
                    Do

Y me gusta escuchar los mariachis,
cantar con el alma
tus lindas canciones
            Fa   **Sol7**
y oír cómo suenan esos guitarrones
y echarme un tequila con los valentones.
                 Do

Ay, Jalisco no te rajes,
Fa   **Do**
echar en el alma,
        Sol7
gritar con calor;
        Do
abrir todo el pecho
Do7   **Fa**
pa' echar este grito:
        Do
¡Qué lindo es Jalisco,
        Sol7
palabra de honor! (2)
        Do

Pa' mujeres, Jalisco primero,
lo mismo en los altos,
que allá en la cañada;
          Fa   **Sol7**
mujeres muy lindas, rechulas de cara,
así son las hembras de Guadalajara.
               Do

En Jalisco se quiere de veras,
porque es peligroso
querer a las malas;
         Fa   **Sol7**
por una morena echarme chapala
y bajo la luna de Guadalajara.
            Do

Bajo la luz de la luna

Los Rebeldes

Bajo la luz de la luna
La   do#m
me diste tu amor.
  sim   Mi7
Ni tan sólo una palabra,
La   do#m
una mirada bastó.
  sim   Mi7
Y yo sé que nunca olvidaré
La do#m Re   rem
que bajo la luz de la luna yo te amé.
   La   Mi7   La

do#m sim Mi7

Bajo la luz de la luna
La   do#m
busqué el amor,
  sim   Mi7
tu cuerpo entre mis brazos
La   do#m
se abrió como una flor.
  sim   Mi7
Y yo sé que nunca olvidaré
La do#m Re   rem
que bajo la luz de la luna yo te amé.
   La   Mi7   La

Yo no pensaba, no pude imaginar,
Re   rem La   fa#m
que todo lo que empieza tiene un final.
          Mi

Bajo la luz de la luna
La   do#m
me dijiste adiós
   sim Mi7
con lágrimas en la cara,
 La   do#m
me rompiste el corazón.
  sim   Mi7

Y yo sé que nunca olvidaré
La do#m Re   rem
que bajo la luz de la luna yo te amé.
   La   Mi7   La

Bajo la luz de la luna yo te amé.
La   do#m sim Mi7
Yo no pensaba que, no pude imaginar,
La do#m Re   rem
que todo lo que empieza tiene un final.
   La   Mi7   La

Bajo la luz de la luna
La   do#m
me dijiste adiós
   sim Mi7
con lágrimas en la cara,
 sim   Mi7
me rompiste el corazón.
   La   do#m
Y yo sé que nunca olvidaré
  sim   Mi7
que bajo la luz de la luna yo te amé,
La do#m Re   rem
bajo la luz de la luna, bajo la luz de
 La   Mi7
                 [la luna.
                 La

La bamba

L. Martínez Serrano

Bamba, la bamba, la bamba. (4)
Re   Sol   La   Sol
Para bailar la bamba, (2)
       Sol   Re   Sol La
se necesita una poca de gracia,
 Sol   La   Sol   Re Sol La
una poca de gracia y otra cosita.
    Sol   Re   Sol   La

Ay! Arriba y arriba,
   Sol   Re Sol La
¡Ay! Arriba y arriba y arriba y ven,
   Sol   Re   Sol   La
por ti seré, por ti seré.
  Sol Re   Sol La
Bamba, la bamba...

Para subir al cielo (2)
     Sol   Re   Sol La
se necesita una escalera larga,
 Sol   La   Sol   Re Sol La
una escalera larga y otra chiquita.
    Sol   Re   Sol   La
¡Ay! Arriba y arriba,
    Sol   Re   Sol La
Ay! Arriba y arriba y arriba y ven.
   Sol   Re   Sol   La
Yo no soy marinero, (2)
   Sol   Re Sol La
soy capitán, soy capitán, soy capitán...
  Sol La   Sol Re   Sol La Sol
Bamba, la bamba...

En mi casa me llaman,
   Sol   Re   Sol
en mi casa me llaman el inocente,
   Sol   Re   Sol   La
porque salgo con chicas,
    Sol   Re   Sol La

porque salgo con chicas de 15 a 20.
    Sol   Re   Sol La
¡Ay! Arriba y arriba, (2)
   Sol   Re   Sol La
por ti seré, por ti seré, por ti seré...
 Sol La   Sol Re   Sol La Sol
Bamba, la bamba...

Para ser secretaria,
    Sol   Re Sol La
para ser secretaria se necesitan
    Sol   Re   Sol   La
unas piernas bonitas,
     Sol   Re Sol La
unas piernas bonitas y otra cosita.
     Sol   Re   Sol   La
¡Ay! Arriba y arriba, (2)
    Sol   Re   Sol La
por ti seré, por ti seré, por ti seré...
 Sol La   Re   Sol La
Bamba, la bamba...

En mi casa me llaman,
   Sol   Re   Sol La
en mi casa me llaman el cachalote,
  La Sol   Re   Sol La
porque cacha que veo,
    Sol   Re Sol La
porque cacha que veo me pego el lote.
   Sol   Re   Sol   La
¡Ay! Arriba y arriba, (2)
   Sol   Re   Sol La
por ti seré, por ti seré, por ti seré...
  Sol La   Sol Re   Sol La
Bamba, la bamba...

La barca

R. Cantoral

Dicen que la distancia es el olvido
Do   **La7**   **rem**
pero yo no concibo esa razón
    Sol7   **Do**
porque yo seguiré siendo el cautivo
    Do   **La7**   **rem**
de los caprichos de tu corazón.
   Sol7   **Do**

Supiste esclarecer mis pensamientos,
    Mi7   **lam**
me diste la verdad que yo soñé,
  Re7   **Sol**
ahuyentaste de mí los sufrimientos
    mim   **Fa**
en la primera noche que te amé.
    Mi7

Hoy mi playa se viste de amargura
   Fa   **fam**
porque tu barca tiene que partir
  mim   **La7**
a cruzar otros mares de locura,
  rem   **Sol7**
cuida que no naufrague tu vivir.
 Do   **La#** **La7**

Cuando la luz del sol se esté apagando
   Fa   **fam**
y te sientas cansada de vagar
   mim   **La7**
piensa que yo por ti estaré esperando
   rem   **Sol7**
hasta que tú decidas regresar.
  rem   **Sol7**   **Do**

(bis, desde «Supiste esclarecer mis pensamientos»...)

Hasta que tú decidas regresar.
  fam   **Do**

La bella Lola

Popular

Cuando en la playa la bella Lola
La
su lindo talle luciendo va,
Mi
los marineros se vuelven locos
La
y hasta el piloto pierde el compás.
Mi   La

ESTRIBILLO
Ay, qué placer sentía yo,
Mi   La
cuando en la playa,
Mi
sacó el pañuelo y me saludó.
La
Luego después, se vino a mí,
Mi   La
me dio un abrazo
Mi
y en aquel lazo creí morir.
La

La bella Lola tenía un mono,
La
tenía un mono y se le murió;
Mi
los marineros la consolaban:
La
«no llores, Lola, que aquí estoy yo».
Mi   La

ESTRIBILLO
Ay, qué placer sentía yo...

Bésame mucho

C. Velázquez

Bésame,
rem
bésame mucho,
    solm
como si fuera esta noche la última vez.
                   La7   **rem**

Bésame,
rem
bésame mucho,
    solm
que tengo miedo a perderte,
rem   **Mi**
perderte después.
      La7

Bésame,
rem
bésame mucho,
    solm
como si fuera esta noche la última vez.
                  La7   **rem**

Bésame,
rem
bésame mucho,
    solm
que tengo miedo a perderte,
rem   **solm**
perderte otra vez.
La7   **rem**

Quiero tenerte muy cerca,
solm   **rem**
mirarme en tus ojos,
      La7
verte junto a mí.
      rem

Piensa que tal vez mañana yo estaré
solm   **rem**
                        [lejos,
                        Mi
muy lejos de ti.
      La7

Bésame,
rem
bésame mucho,
    solm
como si fuera esta noche la última vez,
                  La7   **rem**
que tengo miedo a perderte,
rem   **solm**
perderte después.
      La7   **rem**

El beso

A. Ortega – F. Moraleda

mim   Si7   mim   Mi7   lam   mim   Si7   Mi

En España, bendita tierra,
    Si7   Mi
donde puso su trono el amor,
    Si7   Mi
sólo en ella
      La   Mi
el beso encierra
        do#m   La
alegría, sentido y valor.
  La   Si7   Mi

ESTRIBILLO
La española cuando besa,
    lam
es que besa de verdad,
          Do   Si7
que a ninguna le interesa
    lam
besar por frivolidad.
    Do   Si7

El beso, el beso, el beso en España,
            Do   Si7
lo lleva la hembra muy dentro del alma.
    mim   Re   Sol
Le puede usted besar en la mano,
  Do   Si7   mim
o puede darle un beso de hermano,
  lam   Si7   Do
y así la besará cuanto quiera,
  lam   Si7   mim
pero un beso de amor,
        Si7
no se lo dan a cualquiera.
      mim

Es más noble, yo le aseguro,
  Si7   Mi
y ha de causarle mayor emoción
  Si7   Mi
ese beso sincero y puro
  La Mi   La Mi
que llevamos en el corazón.
  La   Si7   Mi

ESTRIBILLO
La española cuando besa...

Bohemio de afición

M. Urieta

Aléjate de mí, no quiero que me
Re

[quieras,
La7

yo soy otoño gris y tú eres primavera,
Re

tú llevas en tu ser pureza de veras,
Re7   **Sol**

en cambio, yo me pierdo con
Re   **La7**

[cualquiera.
Re

Aléjate de mí, yo en nada te convengo,
La7

mi mundo de ilusión es todo lo que
[tengo,
Re

infiel en el amor, lo traigo de abolengo,
Re7   **Sol**

rompiendo corazones me entretengo.
Re   **La7**   **Re**

ESTRIBILLO 1

Yo todo lo que tengo lo doy por las
La7

[damas,
Re

y nunca me entretengo a ver si me
La7

[aman,
Re

les doy mi corazón tan sólo una
Re7

[semana
Sol

y luego, sin rencores, dejo que se
Re

[alejen si les da la gana.
La7   **Re**

ESTRIBILLO 2

Me quito la camisa por un buen amigo,
La7   **Re**

hoy vivo millonario, mañana mendigo,
La7   **Re**

mi dicha y mi dolor a nadie se la digo,
Re7   **Sol**

por eso nadie sabe cuándo estoy
Re

[llorando, cuándo estoy herido.
La7   **Re**

Bohemio de afición, amigo de las
[farras,
La7

de noche mi timón navega sin
[amarras,
Re

el antro de lo peor me atrapa entre
Re7

[sus garras
Sol

si hay vino, si hay mujeres y guitarras.
Re   **La7**   **Re**

ESTRIBILLO 1

Yo todo lo que tengo lo doy por las
damas...

ESTRIBILLO 2

Me quito la camisa por un buen
amigo...

Por eso nadie sabe cuándo estoy
Sol   **Re**

[llorando, cuándo estoy herido.
La7   **Re**

[La7   Re]

La boliviana

Popular

De Bolivia vengo bajando,
    rem   La7   rem
¡ay, ay, ay! pobre mi cholitay,
    Si♭ Do   Fa
sabe Dios si volveré a la tierra donde nací,
          La7   rem
sabe Dios si volveré a la tierra donde nací.
          La7   rem

Clavelitos, clavelitos,
    rem   La7 rem
envueltos en un papelito,
    Si♭ Do   Fa
corazón de piedra dura, ojos de manantialito,
          La7   rem
corazón de piedra dura, ojos de manantialito.
          La7   rem

ESTRIBILLO
Ya me voy, ya me voy,
    La♯   Sol
ya me voy yendo,
        Fa
sabe Dios si volveré a la tierra donde nací,
          La7   rem
sabe Dios si volveré a la tierra donde nací.
          La7   rem

Dicen que las aguas crecen
    rem   La7   rem
cuando acaba de llover,
    La♯ Do   Fa
así crecen mis amores cuando ya no te puedo ver,
          La7   rem
así crecen mis amores cuando ya no te puedo ver.
          La7   rem

ESTRIBILLO
Ya me voy, ya me voy...

Brasil

A. Barroso

Brasil, la tierra donde te encontré,
Sol   lam
donde mi amor te declaré,
lam
donde en mis brazos te estreché,
             Re7   Sol
tan lejos hoy.
   lam Re7 Sol

Cruel destino que nos separó,
Mi   Fa   Mi
que de tu lado me arrancó
      Fa   Mi
y el alma triste me dejó.
           lam

Hoy, con el recuerdo del ayer,
dom   Sol
anhela todo mi ser
       lam
pronto poder volver a mi querer,
Re7   Sol lam Sol
a mi Brasil.
  lam   Sol

Cambalache

E. Santos Discépolo

Que el mundo fue y será una porquería, ya lo sé
          Re   **La**
en el quinientos seis y en el dos mil también,
                         Re
que siempre ha habido chorros, maquiavelos y estafaos,
                                La
contentos y amargaos, valores y dublé.
             Re   **Re7**

Pero que el siglo veinte es un despliegue
    Sol   **solm**   **Re**
de maldá insolente ya no hay quien lo niegue,
    Re7   **La**   **La7** **Re** **Re7**
vivimos revolcaos en un merengue
    Sol   **solm**   **Re**
y en el mismo lodo todos manoseaos.
        La **La7**   **Re**

Hoy resulta que es lo mismo ser derecho que traidor,
   Re   **Re7**   **Sol**
ignorante, sabio, chorro, generoso, estafador.
           La7   **Re**
¡Todo es igual, nada es mejor,
    Re7   **Sol**
lo mismo un burro que un gran profesor.
      La   **La7**   **Re**

No hay aplazaos ni escalafón,
   Re7   **Sol**
los inmorales nos han igualao...
   La **La7**   **Re**
Si uno vive en la impostura
       Re7
y otro afana en su ambición,
    Sol
da lo mismo que sea cura,
     Re
colchonero, rey de bastos,
  Re7   **La**
caradura o polizón.
 La7   **Re La Re**

¡Qué falta de respeto, qué atropello a la razón!
Re   **La**

¡Cualquiera es un señor, cualquiera es un ladrón!
            Re

Mezclaos con Stravinsky van don Bosco y la Mignon,
            La

don Chicho y Napoleón, Carnera y San Martín.
      Re   **Re7**

Igual que en la vidriera irrespetuosa
Sol   **solm**   **Re**

de los cambalaches se ha mezclao la vida,
Re7   **La**   **Re**   **Re7**

y herida por un sable sin remache
    Sol   **solm**   **Re**

ves llorar la Biblia contra un calefón.
   La   **La7**   **Re**

Siglo veinte, cambalache, problemático y febril
   Re   **Re7**   **Sol**

el que no llora no mama y el que no afana es un gil.
    La7   **Re**

¡Dale nomás, dale que va,
  Re7   **Sol**

que allá en el horno se vamo a encontrar!
   La   **La7**   **Re**

¡No pienses más, tirate a un lao,
  Re7   **Sol**

que a nadie importa si naciste honrao!
   La   **La7** **Re**

Si es lo mismo el que labura
          Re7

noche y día como un buey
   Sol

que el que vive de las minas,
       Re

que el que mata o el que cura
   Re7   **La**

o está fuera de la ley.
La7   **Re La** **Re**

Caminito

Coria – Filiberto – Peñaloza

Caminito que el tiempo ha borrado,
lam   Mi7   lam
que juntos un día nos viste pasar,
lam7   La7   rem
he venido por última vez,
           Fa   Mi7
he venido a contarte mi mal.
       Si7   Fa   Mi7
Caminito, que entonces estabas
     lam   Mi7   lam
bordado de trébol y juncos en flor,
   lam7   La7   rem
una sombra ya pronto serás,
                lam
una sombra, lo mismo que yo.
   rem   Mi7   La   Mi La Mi   La

ESTRIBILLO
Desde que se fue
           Mi7
triste vivo yo,
      La
caminito amigo,
  Fa♯7   sim Re
yo también me voy.
  Mi7   La
Desde que se fue
          Mi7

nunca más volvió,
       La
seguiré sus pasos,
   Fa♯7 sim Re
caminito, adiós.
Mi7   La Mi La   Mi lam

Caminito, que todas las tardes
     lam   Mi7   lam
feliz recorría cantando mi amor,
    lam7   La7   rem
no le digas si vuelve a pasar
              Fa   Mi7
que mi llanto tu suelo regó.
    Si7   Fa   Mi7
Caminito cubierto de cardos,
     lam   Mi7   lam
la mano del tiempo tu huella borró...
   lam7   La7   rem
yo a tu lado quisiera caer,
              lam
y que el tiempo nos mate a los dos.
  rem   Mi7   La Mi La
                              [Mi La

ESTRIBILLO
Desde que se fue...

Caminito verde

C. Larrea

Hoy he vuelto a pasar por aquel camino verde,
     Re7   **solm** **La7**   **rem**
que por el valle se pierde con mi triste soledad.
             Do   **Si♭7**   **La7**
Hoy he vuelto a rezar a la puerta de la ermita,
     Re7   **solm Do7**   **Fa Re7**
y pedí a tu Virgencita que yo te vuelva a encontrar.
       solm La7   **Re**

Estribillo
En el camino verde,
         Re
camino verde que va a la ermita,
   mim   **La7**
desde que tú te fuiste
lloran de pena las margaritas.
         Re

La fuente se ha secado,
       Re
las azucenas están marchitas,
     mim **La7**
en el camino verde,
camino verde que va a la ermita.
      Re   **rem**

Hoy he vuelto a pasar por aquel camino verde,
    Re7   **solm** **La7**   **rem**
y en el recuerdo se pierde toda mi felicidad.
         Do Si♭7   **La7**
Hoy he vuelto a grabar nuestros nombres en la encina,
    Re7   **solm Do7**   **Fa Re7**
he subido la colina y allí me he puesto a llorar.
    solm **La7**   **Re**

Estribillo
En el camino verde...

Camino, camino verde.
  solm   **La7 Re**

Campanas de Belén

Popular

Campana sobre campana
Mi · · · · · · · · · · · · Si7
y sobre campana una.
· · · · · · · · · · · · · · · Mi
Asómate a la ventana,
· · · · · · · · · · · · · Si7
verás al Niño en la cuna.
· · · · · · · · · · · · · · · Mi

ESTRIBILLO
Belén, campanas de Belén,
· · · · · · · · · · · La · · · Mi
que los ángeles tocan,
· · · La · · · · · · · · · Mi
¿qué nuevas me traéis?
· · · Si7 · · · · · · · · · Mi

Recogido tu rebaño,
Sol#7 do#m Si7 · · Mi
¿a dónde vas, pastorcillo?
Do#7 Fa# · Si7 · · · · · · Mi
Voy a llevar al portal
Sol# · do#m Si7 · Mi
requesón, manteca y vino.
Do#7 · Fa# · · Si7 · · · Mi

Campana sobre campana,
· Mi · · · · · · · · · · · Si7
y sobre campana dos;
· · · · · · · · · · · · · · Mi
asómate a esa ventana,
· · · · · · · · · · · · · · Si7
porque está naciendo Dios.
· · · · · · · · · · · · · · · Mi

ESTRIBILLO
Belén, campanas de Belén...

Caminando a media noche
Sol#7 do#m Si7 · · · · Mi
¿dónde caminas, pastor?
Do#7 · Fa# Si7 · · · · · Mi
Le llevo al Niño, que nace
Sol# · do#m Si7 · · · · Mi
como Dios, mi corazón.
Do#7 · Fa# Si7 · · · · Mi

Campana sobre campana
Mi · · · · · · · · · · · · · Si7
y sobre campana tres;
· · · · · · · · · · · · · · Mi
en una cruz, a esta hora,
· · · · · · · · · · · · · · · Si7
el Niño va a padecer.
· · · · · · · · · · · · · Mi

ESTRIBILLO
Belén, campanas de Belén...

Si aún las estrellas alumbran,
Sol#7 do#m Si7 · · · · · · Mi
pastor, ¿dónde quieres ir?
Do#7 · · · · Fa# Si7 · · · Mi
voy al portal, por si el Niño
Sol#7 · do#m Si7 · · · · Mi
con Él me deja morir.
Do#7 · Fa# Si7 · · · Mi

Canción mixteca

Popular

Qué lejos estoy del suelo
La
donde he nacido
Mi7
inmensa nostalgia invade
mi pensamiento.
La

Y al verme tan solo y triste
La   **La7**
cual hoja al viento,
Re
quisiera llorar,
Mi7   **La**
quisiera morir de sentimiento.
Mi7   **La**

Oh, tierra del sol,
Mi7
suspiro por verte
La
ahora que lejos
Mi7
yo vivo sin luz, sin amor.
La

(bis desde «Y al verme tan solo y triste...)

59 ♪

Cántame un pasodoble español

T. Leblanc – E. Paso – M. Paso

Si comparas un manojo de claveles,
lam   Mi7   lam
con las flores de otras tierras, tú verás,
    Mi7   lam
que el olor de los claveles españoles,
    La7   rem
no lo pueden otras flores igualar.
    Fa   Mi7

Si comparas un alegre pasodoble,
lam   Mi7   lam
con los mambos, boogie-boogie y el
    Sol   Do
[danzón,
verás entre todos ellos,
    Fa
lo que vale lo español.
    Mi7

ESTRIBILLO
Cántame un pasodoble español,
    La   Mi7   La
que al oírlo se borren mis penas,
    sim   Mi7
cántame un pasodoble español,
    sim   Mi7
pa' que hierva la sangre en mis venas.
    sim   Mi7   La

Si tú vieras, vida mía,
    solm   rem
tu cante qué bien me suena,
    Mi7   La
cántame un pasodoble español.
    Mi7   La

Si comparas con las rosas de tu boca,
lam   Mi7   lam
los corales que se ocultan en la mar,
    Mi7   lam
tú verás cómo las rosas de tus labios
    La7   rem
son más rojas y más suaves que el
    Fa   Mi7
[coral.

Si comparas a tu pelo con la noche
lam   Mi7   lam
y a tus ojos con la luz del mismo Sol,
    Sol   Do
verás que en el mundo entero
    Fa
lo que vale es lo español.
    Mi7

ESTRIBILLO
Cántame un pasodoble español...

Cantares

A. Machado – J. M. Serrat

Todo pasa y todo queda,
Mi   do#m
pero lo nuestro es pasar,
La   Si   Mi
pasar haciendo camino,
       do#m
camino sobre la mar.
La   Si   Mi
Nunca perseguí la gloria,
       do#m
ni dejar en la memoria
Mi   Si   Mi
de los hombres mi canción.
      La   Si

Yo amo los mundos sutiles,
Mi   do#m
ingrávidos y gentiles
La   Si   Mi
como pompas de jabón.
     La   Si   Mi
Me gusta verlos pintarse,
       do#m
de sol y grana volar,
La   Si   Mi
bajo el cielo azul temblar,
       do#m
súbitamente y quebrarse.
La   Si   Mi
Nunca perseguí la gloria.
       do#m
ni dejar en la memoria
La   Si   Mi
de los hombres mi canción.
     La   Si   Mi

Hace algún tiempo, en este lugar,
Mi   do#m
donde los bosques se visten de
La   Si
        [espinos,
     Mi   Mi7

se oyó la voz de un poeta cantar:
       do#m
«Caminante no hay camino,
  La   Si   Mi
se hace camino al andar,
La   Si   Mi
golpe a golpe, verso a verso».
       La   Si   Mi

Murió el poeta lejos del hogar,
       do#m
le cubre el polvo de un país
La   Si
        [vecino.
       Mi   Mi7
Al alejarse, le oyeron gritar:
       do#m
«Caminante no hay camino,
  La   Si   Mi
se hace camino al andar,
La   Si   Mi
golpe a golpe, verso a verso».
       La   Si   Mi

Cuando el jilguero no puede
Mi   do#m
        [cantar,
cuando el poeta es un
La   Si
        [peregrino,
       Mi   Mi7
cuando de nada nos sirve rezar,
       do#m
caminante no hay camino,
La   Si   Mi
se hace camino al andar,
La   Si   Mi
golpe a golpe, verso a verso, (2)
       La   Si
golpe a golpe, verso a ver...so.
Mi   La   Si   Mi

Capullito de alhelí

R. Hernández

Lindo capullito de alhelí,
Do7
si tú supieras mi dolor,
Fa
correspondieras a mi amor
Do7
y calmaras mi sufrir.
Fa

ESTRIBILLO
Porque tú sabes que sin ti
Re7
la vida es nada para mí,
solm
tú bien lo sabes,
Do7
capullito de alhelí.
solm Fa   Do7 Fa

No hay en el mundo para mí
La7
otro capullo de alhelí
rem   La7   rem
que yo le brinde mi pasión
La7
y que le dé mi corazón.
rem   La7   rem

Tú sólo eres la mujer
Sol7
a quien he dado mi querer
Do   Sol7 Do
y te brindé, lindo alhelí,
Sol7
fidelidad hasta morir.
Do   Sol7   Do

Por eso yo te canto a ti,
Do7
lindo capullito de alhelí,
Fa
dame tu aroma seductor
Do7
y un poquito de tu amor.
Fa

ESTRIBILLO
Porque tú sabes que sin ti...

El carnavalito

Popular

Llegando está el carnaval
　　　　　Sol
quebradeño mi cholitay,
　　　　　　　Re
llegando está el carnaval
　　　　　Sol
quebradeño mi cholitay,
　　　　　Re
fiesta de la quebrada,
　sim　　　　**La**　　**sim**
humahuaqueña para cantar.
　　　　　　La　　**sim**　　　**La**

Entre Charango y bombo
　sim　　　　　**La**　　**sim**
carnavalito para bailar,
　　　　La　**sim**　　**La**　**sim**
quebradeño, humahuaqueñito,
　　　Sol　　　　　**Mi7**　　　**La**　**Re**
quebradeño, humahuaqueñito,
　　　Sol　　　　　**Mi7**　　　**La**　**Re**
fiesta de la quebrada,
　sim　　　　**La**　　**sim**
humahuaqueña para cantar.
　　　　　La　　**sim**　　　**La**　**sim**

Entre charango y bombo
　sim　　　　　**La**　　**sim**
carnavalito para bailar,
　　　　La　**sim**　**La**　**sim**
fiesta de la quebrada,
　sim　　　　**La**　　**sim**
humahuaqueña para cantar,
　　　　　La　　**sim**　　　**La**　**sim**
entre charango y bombo
sim　　　　　**La**　　**sim**
carnavalito para bailar.
　　　　La　**sim**　　**La**　**sim**　**La**　**sim**　**La**　**sim**

Cartagenera

F. Cabanillas – N. Vanella

Paseando mi soledad,
 lam Mi7
por la playa de Marbella,
    lam
yo te vi cartagenera,
 Sol Fa Mi7
luciendo tu piel morena.

Y en tibias noches de luna,
 lam   Mi7
cuando me besa la brisa,
     lam
yo siento cartagenera,
 Sol Fa Mi7
el cascabel de tu risa.
    lam

Cartagenera tu boca,
   Mi7
es como guayaba madura,
    lam
cartagenera tus ojos,
   Mi7
en mi recuerdo perduran.
    lam

Cartagenera morena,
   Sol
bañada con luz de luna,
 Fa   Mi7
bañada con luz de luna,
cartagenera morena.
    lam

Casualidad

M. Fernández

Al final no es casualidad,
Re   La   sim   fa#m
caminas con él frente a mí.
  Sol   Re   La
La ciudad se queda sin sol,
Re   La   sim   fa#m
no existe razón, pero todo acabó.
  Sol   Re   La

Cuando un amor se termina el mundo
        Re   La   Sol
                [que te di
se vuelve contra mí.
  mim La Re
Cuando un amor se termina el mundo
        Re   La   Sol
                [que te di
se vuelve contra mí.
  mim La Re
Cuando un amor se termina el mundo
        Re   La   Sol
                [que te di
Uooo, o, ooo.
  mim La Re

Estarás bailando con él
Re La   sim   fa#m
canciones que ayer fueron mías,
  Sol   Re   La
sentiré tanta tristeza
Re La   sim   fa#m
que mi corazón te dirá...
  Sol   Re   La

ESTRIBILLO
Cuando un amor se termina el mundo
        Re   La   Sol
                [que te di
se vuelve contra mí.
  mim La Re
Cuando un amor se termina el mundo
        Re   La   Sol
                [que te di
Uooo, o, ooo.
  mim La Re

No, no habrá oportunidad,
Re La   sim   fa#m
sé que volverás, algún día.
  Sol   Re   La
Estarás golpeando a mi puerta,
Re La   sim   fa#m
mas nunca el amor volverás a sentir.
        Sol   Re   La

ESTRIBILLO
Cuando un amor se termina...

Se termina, se termina, se termina,
        Re   La   sim Sol La
se termina, se termina, se termina...
        Re   La   sim Sol La

ESTRIBILLO
Cuando un amor se termina...

Chiquilla

Seguridad Social

<u>Por</u> la mañana me levanto
Mi
y voy <u>corr</u>iendo desde mi cama
Fa
para poder ver a esa chiquilla
por mi venta<u>na</u>.
Mi

Es que yo llevo to' el día sufriendo
y es que la <u>qui</u>ero con toda mi alma
Fa
y la persigo en mi pensamiento
de madru<u>ga</u>da.
Mi

Tengo una cosa que me arde dentro,
que no me d<u>ej</u>a pensar en nada,
Fa
ay, que no sea en esa chiquilla
y en su mir<u>a</u>da.
Mi

ESTRIBILLO
Y yo <u>la</u> miro
La
y ella no me dice na<u>da</u>,
Mi
pero <u>sus</u> dos ojos negros
Fa
se me clav<u>an</u> como espadas,
Mi
pero <u>sus</u> dos ojos negros
Fa
se me cla<u>van</u> como espadas,
Mi
¡Ay, chiquilla!

Este silencio que me desvive,
me dice c<u>os</u>as que son tan claras,
Fa
que yo no puedo, no puedo, no puedo
dejar de mir<u>ar</u>la.
Mi

Y yo tengo que decir pronto
que estoy lo<u>qui</u>to de amor por ella
Fa
y que sus ojos llevan el fuego
de alguna estre<u>lla</u>.
Mi

Que las palabras se quedan cortas
para decir t<u>od</u>o lo que siento,
Fa
pues mi chiquilla es lo más bonito
del firmame<u>nto</u>.
Mi

ESTRIBILLO
Y yo la miro...

Y yo la qui<u>e</u>ro,
La
como el sol a la ma<u>ñ</u>ana,
Mi
como los ra<u>yo</u>s de luz
Fa
a mi ve<u>nt</u>ana yo la quiero,
Mi
como los ra<u>yo</u>s de luz
Fa
a mi vent<u>ana</u>. ¡Ay, chiquilla!
Mi

Cielito lindo

A. Varela – A. Fernández

Ese lunar que tienes, cielito lindo,
La Mi7   La   Mi7   La
junto a la boca,
        Mi7
no se lo des a nadie, cielito lindo,
que a mí me toca.
                  La

ESTRIBILLO
Ay, ay, ay, ay,
La Do#7 Re
canta y no llores,
Mi7   La
porque cantando se alegran,
                        Mi7
cielito lindo,
los corazones. (2)
      La

De la Sierra Morena, cielito lindo,
  Mi7   La   Mi7   La
vienen bajando
          Mi7
un par de ojitos negros, cielito lindo,
de contrabando.
            La

ESTRIBILLO
Ay, ay, ay, ay... (2)

Una flecha en el aire, cielito lindo,
  Mi7   La   Mi7   La
lanzó Cupido,
        Mi7
me la tiró jugando, cielito lindo,
y a mí me ha herido.
                La

ESTRIBILLO
Ay, ay, ay, ay... (2)

Pájaro que abandona, cielito lindo,
      Mi7   La Mi7   La
su primer nido,
          Mi7
se lo encuentra ocupado, cielito lindo,
y muy merecido.
            La

ESTRIBILLO
Ay, ay, ay, ay... (2)

Todas las ilusiones, cielito lindo,
      Mi7   La Mi7   La
que el amor fragua,
              Mi7
son como la espuma, cielito lindo,
que forma el agua.
              La

Cielo rojo

Popular

Solo, sin tu cariño, voy caminando,
      lam   **Sol**
voy caminando y no sé qué hacer,
     Fa   **Mi7**
ni el cielo me contesta
lam   **Sol**
cuando pregunto por ti, mi bien.
     Fa   **Mi7**

No he podido olvidarte desde la
  lam

                    [noche,
                 Sol
desde la noche en que te perdí,
     Fa   **Mi7**
sombras de duda y celos,
lam   **Sol**
solo, me envuelven, pensando en ti.
     Fa   **Mi7**   **La**

ESTRIBILLO
Deja que yo te busque y si te
         La

              [encuentro,
y si te encuentro, vuelve otra vez,
              Mi7
olvida lo pasado,
Re   **La**
ya no te acuerdes de aquel ayer,
    Mi7   **La**
olvida lo pasado,
Re   **La**
ya no te acuerdes de aquel ayer.
    Mi7   **lam**

Mientras yo estoy dormido sueño que
                  [vamos
               Sol
los dos muy juntos a un cielo azul,
    Fa   **Mi7**
pero cuando despierto
 lam   **Sol**
mi cielo es rojo, me faltas tú.
    Fa   **Mi7**

Aunque yo sea culpable de aquella
  lam

                [triste,
              Sol
de aquella triste separación,
      Fa   **Mi7**
vuelve, por Dios, tus ojos,
lam   **Sol**
vuelve a quererme, vuelve mi amor.
        Fa   **Mi7**   **La**

ESTRIBILLO
Deja que yo te busque...

Sol **lam** **Sol** **lam** **La**

Cien años

R. Fuentes – A. Cervantes

Pasaste a mi lado
sim   Mi7
con gran indiferencia,
La   sim do♯m
tus ojos ni siquiera
dom   sim   Mi7
voltearon hacia mí.
La

Te vi sin que me vieras,
sim Mi7
te hablé sin que me oyeras
La   sim   do♯m
y toda mi amargura
dom   sim
se ahogó dentro de mí.
Mi7   La

Me duele hasta la vida
mim La7   Re
saber que me olvidaste,
La7   Re
pensar que ni desprecio
Si7   Mi7
merezca yo de ti.
Si7   Mi7

Y sin embargo sigues
sim   Mi7
unida a mi existencia
La   sim do♯m
y si vivo cien años,
dom   sim   Mi7
cien años pienso en ti.
La

Cien gaviotas

Popular

Hoy el viento sopla más de lo normal,
Sib   Fa   Do
las olas intentando salirse del mar,
Sib   Fa   Do
el cielo es gris y tú no lo podrás cambiar,
Sib   Fa   Do
mira hacia lo lejos, busca otro lugar
Sib   Fa   Do
y cien gaviotas dónde irán.
Fa   Sol   Do

Hoy no has visto a nadie
Sib   Fa   Do
con quien derrumbar
Sib Fa   Do
los muros que gobiernan en esta ciudad,
Sib   Fa   Do
hoy no has visto a nadie
Sib   Fa
con quien disfrutar
       Do
placeres que tan sólo tú imaginarás,
Sib   Fa   Do
y tus miradas dónde irán.
Fa   Sol   Do

ESTRIBILLO
Hoy podrás beber y lamentar
Do   mim
que ya no volverán
   Fa
sus alas a volar,
  Sib
y cien gaviotas dónde irán.
        Do

Hoy el día ya no es como los demás,
Sib   Fa   Do
el ron y la cerveza harán que acabes mal,
Sib   Fa   Do
nena, ven conmigo, déjate llevar,
Sib   Fa   Do
hoy te enseñaré dónde termina el mar
Sib   Fa   Do
y cien gaviotas dónde irán.
Fa   Sol   Do

ESTRIBILLO
Hoy podrás beber y lamentar...

Las cintas de mi capa

Villena y Villena

Cual las olas van amantes a besar
rem **La**
las arenas de la playa con fervor,
rem
así van los besos míos a buscar
La
de la playa de tus labios el calor.
rem

Si del fondo de la mina es el metal
La
y del fondo de los mares el coral,
rem
de lo más hondo del alma me brotó
solm **rem**
el cariño que te tengo, tengo yo.
La **Re**

Enredándose en el viento
La
van las cintas de mi capa
Mi
y cantando a coro dicen:
«Quiéreme, niña del alma»,
La
son las cintas de mi capa,
de mi capa estudiantil,
Re

un repique de campanas,
La
un repique de campanas,
cuando yo te rondo a ti.
Mi **La**

No preguntes cuándo yo te conocí,
rem **La**
ni averigües las razones del querer,
rem
sólo sé que mis amores puse en ti,
La
el por qué no lo sabría responder.
rem

Para mí no cuenta el tiempo ni razón,
La
que por qué te quiero tanto, ¡corazón!
rem
Con tu amor a todas horas viviré,
La
sin tu amor, cariño mío, moriré.
rem

71

Clavado en un bar

Maná

¡Oh, yeah!

Aquí me tiene bien clavado
Si   Fa♯

soltando las penas en un bar,
sol♯m

brindando por tu amor,
Mi

aquí me tiene abandonado,
Si   fa♯m

bebiendo tequila pa' olvidar
sol♯m

y sacudirme hasta el dolor.
Mi

¿Dónde estas bendita?,
 Si Fa♯   sol♯m

¿dónde te has metido?,
 Si   Fa♯   sol♯m

abre un poco el corazón,
Re♯   Fa

deja amarte, corazón,
Re♯   Fa

ven y sácame de este bar.
Re♯   Fa   Fa♯

Estoy clavado,
 Si

estoy herido,
re♯m   fa♯m   Fa

estoy ahogado en un bar,
sol♯m   Mi

desesperado,
 Sí

en el olvido, amor,
re♯m   fa♯m   Fa

estoy ahogado en un bar, ¡hey!
sol♯m   Mi

Sé que te gustan demasiados
Si   Fa♯

que te pretenden cantidad,
sol♯m

pero eso no es felicidad,
Mi

y mi amor nunca se raja
Si   Fa♯

y mi amor nunca jamás te va a fallar.
sol♯m

Nunca jamás,
 Mi

voy desesperado,
 Si

voy en el olvido,
re♯m

estoy ahogado en un bar,
sol♯m   Mi

déjate querer, amor,
sol♯m   Mi

quiero ser tu todo
 Si

y tu corazón,
re♯m

ven a rescatarme, amor,
sol♯m   Mi

yo quiero ser tu sol,
Si

yo quiero ser tu mar, oooohhh.
fa♯m

Clavelitos

Cadenas – Valverde

Mocita, dame un clavel,
lam   Mi   lam
dame el clavel de tu boca,
           Mi
en eso no hay que tener
mucha vergüenza ni poca.
          lam

Yo te daré un cascabel,
Sol   Do
te lo prometo, mocita,
  Sol   Do
si tú me das esa miel
Mi   lam
qué llevas en la boquita.
  Mi   La

Clavelitos, clavelitos,
clavelitos de mi corazón,
        Mi
yo te traigo clavelitos
colorados igual que un fresón,
        La
si algún día, clavelitos,
no lograra poderte traer,
  La7   Re
no te creas que ya no te quiero,
        La
es que no te los pude traer.
  Mi   La Mi

De tarde, ya media luz,
lam   Mi   lam
vi tu boquita de guinda,
      Mi
yo no he visto en Santa Cruz,
una boquita tan linda.
    lam
Y luego al ver el clavel
Sol   Do
que llevabas en el pelo,
  Sol   Do
mirándolo creí ver
Mi   lam
un pedacito de cielo.
  Mi   La

Como llora una estrella

A. Carrillo – A. Vivas

Recuerdos de un ayer, que fue pasión,
lam   **mim**   **lam**
y el suave titilar que ayer yo vi,
       La7   **rem**
en tu dulce mirar tu amor sentí,
           mim
tu cara angelical, rosa de abril.
     lam   **mim**

Cómo quisiera yo amar y ser
lam   **mim**   **lam**
la mística oración que hay en ti,
     La7   **rem**
pero al no sentir tu raro amor de ayer,
            mim
la estrella solitaria llorará de amor.
     lam   **mim**

Dame la tierna luz de tu lindo mirar,
            lam
que es como el titilar de una estrella de amor
     mim   **lam**
y en éxtasis profundo de pasión
       rem
mis versos tristes yo te brindaré
      lam
y en tu lozana frente colgaré
      mim
la estrella de este gran amor.
      lam

Cómo voy a renunciar a ti

C. Echeñique – R. Medina

Ya tienes lo que querías y me lo habré merecido,
Re   La   sim   Sol
mas ni tú mismo confías en lo que pueda pasar.
Re   La   sim   Sol

Qué es lo que yo podría decirte aquí y ahora
Re   La   sim   Sol
que no hubiera dicho nadie antes en cualquier lugar.
Re   La   sim   Sol

ESTRIBILLO
¿Cómo voy a renunciar a ti?, ¿cómo voy a renunciar a ti?
Re   La   Sol Re   La   Sol7

Y tus lágrimas de fuego se me vienen a la boca,
Re   La   sim   Sol
la dulzura de tu sexo y la sal de tu sudor.
Re   La   sim   Sol

ESTRIBILLO
¿Cómo voy a renunciar a ti?...

Y ya no sueñas conmigo, hoy tus sueños son de ella,
Re   La   sim   Sol
se queda con tus gemidos y tu olor se pega en ella.
Re   La   sim   Sol

ESTRIBILLO
¿Cómo voy a renunciar a ti... (2)

Ya tienes lo que querías y me lo habré merecido,
Re   La   sim   Sol
hoy me rompo como un trozo de papel.
Re   La   sim Sol

ESTRIBILLO
¿Cómo voy a renunciar a ti?...

Compostelana

D. Martínez – Méndez Vigo

Pasa la tuna en Santiago
<small>rem   solm</small>
cantando muy quedo romances de
<small>   rem   La7   rem</small>
[amor.
Luego la noche en sus ecos
<small>   solm</small>
los cuela de ronda por cada balcón.
<small>   Do   Fa</small>

Pero allá en el templo del Apóstol Santo
<small>   La7   rem</small>
una niña llora ante su patrón,
<small>   solm Do   Fa</small>
porque la capa del tuno que adora
<small>   solm   rem</small>
no lleva la cinta que ella le bordó,
<small>La7   rem Re7</small>
porque la capa del tuno que adora,
<small>   solm   rem</small>
no lleva la cinta que ella le bordó.
<small>   La7   Re</small>

Cuando la tuna te dé serenata
<small>   Re   La7 Re Si7</small>
no te enamores, compostelana,
<small>   mim La7   Re</small>
pues cada cinta que adorna mi capa
<small>   La7   Re Si7</small>
lleva un trocito de corazón.
<small>   mim La7   Re Re7</small>
Tralalaralaralará.
<small>Sol   La7   Re Si7</small>

No te enamores, compostelana,
<small>   mim La7   Re Re7</small>
y deja la tuna pasar
<small>Sol   La7   Re   Si7</small>
con su tralaralará.
<small>   mim   La7   Re</small>

Hoy va la tuna de gala
<small>   rem   solm</small>
cantando y tocando la marcha nupcial.
<small>   rem   La7   rem</small>
Suenan campanas de gloria
<small>   solm</small>
que dejan desierta la universidad.
<small>   Do   Fa</small>

Y allá en el templo del Apóstol Santo
<small>   La7   rem</small>
con el estudiante hoy se va a casar
<small>   solm   Do   Fa</small>
la galleguiña melosa y celosa
<small>   solm   rem</small>
que oyendo esta copla ya no llorará,
<small>   La7   rem Re7</small>
la galleguiña melosa y celosa
<small>   solm   rem</small>
que oyendo esta copla ya no llorará.
<small>   La7   Re</small>

Contamíname

A. Belén

Cuéntame un cuento del árbol dátil de los desiertos,
mim   Si7   mim
de las mezquitas de tus abuelos.
        Si7
Dame los ritmos de las darbucas y los secretos
mim   Si7   mim
que hay en los libros que yo no leo,
          Si7

Contamíname, pero no con el humo que asfixia el aire,
Sol   Re   lam   Re
ven, pero sí con tus ojos y con tus bailes,
Sol   Re   lam   Re
ven, pero no con la rabia y los malos sueños,
Sol   Re   lam   Re
ven, pero sí con los labios que anuncian besos.
Sol   Re   lam   Re

Contamíname, mézclate conmigo que bajo mi rama tendrás abrigo.
Sol   Re   lam   Re   lam   Do
Contamíname, mézclate conmigo que bajo mi rama tendrás abrigo.
Sol   Re   lam   Re   lam   Do

Cuéntame el cuento de las cadenas que te trajeron
mim   Si7   mim
de los tratados y los viajeros.
       Si7
Dame los ritmos de los tambores y los boceros
mim   Si7   mim
del barrio antiguo y del barrio nuevo.
        Si7

Cuéntame el cuento de los que nunca se descubrieron
mim   Si7   mim
del río verde y de los boleros.
      Si7
Dame los ritmos de los buzukis, los ojos negros,
mim   Si7   mim
la danza inquieta del hechicero.
      Si7

La copla del rondador

Popular

Aquí esta la tuna, que con su alegría

Mi7   La

recorre las calles con una canción

        Mi7

y con sus guitarras y con su alegría

alegra las calles de la población.

       La

Son los estudiantes muchachos de trova,

       Mi7 La

de buenas palabras y gran corazón,

      Mi7

y son trovadores que llevan en coplas

para las muchachas un poco de amor.

       La

Canta una copla la tuna.

Re Mi7 La

Estribillo

La copla del rondador

     Mi7

canta una copla la tuna

     La

para que salgas morena

     Mi7

a ver a tu rondador,

Re Mi7 La

para que salgas morena

     Mi7

a ver a tu rondador.

Re Mi7 La

Canta otra copla la tuna.

Re Mi7 La

Estribillo

La copla del rondador...

Corazón, corazón

J. A. Jiménez

Es inútil dejar de quererte,
solm   Re7   solm
ya no puedo vivir sin tu amor,
      solm   Re7
no me digas que voy a perderte,
no me quieras matar, corazón.
        solm

Yo, qué diera por no recordarte,
      Re7   solm
yo, qué diera por no ser de ti,
    Sol7   dom
pero el día que te dije te quiero,
      solm
te di mi cariño y no supe de mí.
  Re7   solm

ESTRIBILLO
Corazón, corazón,
  Re7   solm
no me quieras matar, corazón.
  Re7   solm

Si has pensado dejar mi cariño,
     Sol   Sol
recuerda el camino donde te encontré,
       Re7
si has pensado cambiar tu destino,
recuerda un poquito quién te hizo mujer.
      Sol

Si después de sentir tu pasado
me miras de frente y me dices adiós,
    Sol7   dom
te diré con el alma en la mano
    dom   solm
que puedes quedarte, que yo me voy.
    Re7   solm

ESTRIBILLO
Corazón, corazón...

Cruz de navajas

N. Cano – J. M Cano

A las cinco se cierra la barra del 33,
Fa   Sol7   Do lam   Fa
pero Mario no sale hasta las seis.
                 Sol7   Re mim   Fa
Y si encima le toca hacer caja, despídete,
               Sol7   Do   lam Fa
casi siempre se le hace de día.
            Sol7   lam
Mientras María ya se ha puesto en pie,
              mim Fa   Sol7   Do lam
ha hecho la casa, ha hecho hasta el café
             mim   Fa   Sol7   Do   rem
y le espera medio desnuda.
           Sol7

Mario llega cansado y saluda sin mucho afán.
Fa   Sol7   Do   lam   Fa
Quiere cama pero otra variedad
            Sol7 Re   mim Fa
y María se moja las ganas en el café,
          Sol7   Do   lam Fa
magdalenas de sexo convexo.
        Sol7   lam
Luego el trabajo en un gran almacén,
          mim   Fa Sol7 Do   lam
cuando regresa no hay más que un somier
           mim   Fa   Sol7 Do   rem
taciturno que usan por turnos.
          Sol7

Cruz de navajas por una mujer,
Do   Sol   lam   Fa
gritos mortales despuntan al alba,
Do   Sol   lam   Fa
sangres que tiñen de malva el amanecer.
Do   Fa   Sol   Do

Pero hoy como ha habido redada en el 33,
Fa   Sol7   Do lam Fa
Mario vuelve a las cinco menos diez.
         Sol7   Re   mim   Fa

Por su calle vacía a lo lejos sólo se ve
       Sol7   **Do**   **lam**   **Fa**

a unos novios comiéndose a besos.
         Sol7   **lam**

El pobre Mario se quiere morir,
        mim   **Fa Sol7**   **Do**   **lam**

cuando se acerca para descubrir
        mim   **Fa**   **Sol7**   **Do**   **rem**

que es María con compañía.
        Sol7

Sobre Mario de bruces, tres cruces,
Fa   **Sol7**   **Do** **lam**   **Fa**

una en la frente, la que más dolió,
    Sol7   **Re** **mim**   **Fa**

otra en el pecho, la que le mató,
         Sol7 **Do** **lam**   **Fa**

y otra miente en el noticiero:
       Sol7   **lam**

dos drogadictos en plena ansiedad,
        mim   **Fa Sol7**   **Do**   **lam**

roban y matan a Mario Postigo
        mim   **Fa Sol7** **Do**   **rem**

mientras su esposa es testigo desde el portal.
        Sol7

En vez de cruz de navajas por una mujer...
      Do   **Sol**   **lam**   **Fa**

La cucaracha

M. A. Velasco

ESTRIBILLO
La cucaracha, la cucaracha
    Mi
ya no puede caminar,
       Si7
porque no tiene, porque le falta
marihuana que fumar.
      Mi

Ya se van los carranchistas,
ya se van para Perote,
      Si7
y no pueden caminar
por causa de sus bigotes.
      Mi

ESTRIBILLO
La cucaracha, la cucaracha...

Con las barbas de Carranza
voy a ser una toquilla
      Si7
para ponérsela al sombrero
del señor Francisco Villa.
      Mi

ESTRIBILLO
La cucaracha, la cucaracha...

Cucurrucucú, paloma

T. Méndez

Dicen que por las noches no más se le iba en puro llorar,
Do   **Do7**

dicen que no comía no más se le iba en puro tomar,
Fa

juran que el mismo cielo se estremecía al oír su llanto,
Sol7   **Do**

cómo sufrió por ella que hasta en su muerte la fue llamando.
Sol7   **Do**

Ay, ay, ay, ay, ay, cantaba,
Sol7

ay, ay, ay, ay, ay, gemía.
Do

Ay, ay, ay, ay, ay, cantaba,
Sol7

de pasión mortal moría.
Do

Que una paloma triste muy de mañana le va a cantar,
Do7

a la casita sola con las puertitas de par en par,
Fa

juran que esa paloma no es otra cosa que su alma,
Sol7

que todavía lo espera a que regrese la desdichada.
Do

Cucurrucucú, paloma,
Sol7

cucurrucucú, no llores,
Do

las piedras jamás, paloma,
Sol7

qué van a saber de amores.
Do

Cucurrucucú,
Do7

cucurrucucú,
Fa

cucurrucucú,
Sol7

paloma, ya no llores.
Do

Cumpleaños feliz

Popular

ESTRIBILLO
Cumpleaños feliz,
    Sol   **Re**
cumpleaños feliz
    Re   **Sol**
te desean tus amigos
      Do   **Iam**
desde aquí. (2)
    Sol

El día en que tú naciste,
acababas de nacer
          Re
y a los quince días justos
  Do   **Sol**
ya tenías medio mes.
La   **Re**

ESTRIBILLO
Cumpleaños feliz... (2)

El día en que tú naciste,
ya me lo dijo tu abuela:
         Re
«Este niño vivirá
  Do   **Sol**
hasta el día que se muera».
La   **Re**

ESTRIBILLO
Cumpleaños feliz... (2)

Asómate a la ventana,
saca medio cuerpo fuera,
        Re
saca luego el otro medio,
Do   **Sol**
verás qué torta te pegas.
La   **Re**

ESTRIBILLO
Cumpleaños feliz... (2)

El día en que tú naciste
nacieron todas las flores;
        Re
por eso los albañiles
Do   **Sol**
llevan alpargatas blancas.
La   **Re**

Dama, dama

E. Sobredo

Puntual, cumplidora
La   do#m

del tercer mandamiento,
Re   La

algún desliz inconexo,
Fa#7   sim

buena madre y esposa,
Sol#   do#m

de educación religiosa.
Mi7   La

Si no fuera por miedo,
do#m

sería la novia en la boda,
Re   La

el niño en el bautizo
Fa#7   sim

el muerto en el entierro,
Sol#   do#m

con tal de dejar su sello.
Mi7   La

ESTRIBILLO
Dama, dama
La

de alta cuna, de baja cama.
Re

Señora de su señor,
La

amante de un vividor.
Si7   Mi7

Dama, dama,
La

que hace lo que le viene en gana.
Re

Esposa de su señor,
Si7   La

mujer por un vividor.
Si7   Mi7

Ardiente admiradora
La   do#m

de un novelista decadente,
Re   La

ser pensante y escribiente.
Fa#7   sim

De algún versillo autora,
Sol#   do#m

aunque ya no estén de moda.
Mi7   La

Conversadora brillante,
do#m

en cóctels de siete a nueve,
Re   La

hoy nieva, mañana llueve,
Fa#7   sim

quizás pasado truene,
Sol#   do#m

envuelta en seda y pieles.
Mi7   La

ESTRIBILLO
Dama, dama...

Devoradora de esquelas,
La   do#m

partos y demás dolores,
Re   La

emisora de rumores,
Fa#7   sim

asidua en los sepelios,
Sol#   do#m

de muy negros lutos ellos.
Mi7   La

El sábado arte y ensayo,
do#m

el domingo los caballos
Re   La

en los palcos del Real,
Fa#7   sim

los tes de caridad,
Sol#   do#m

jugando a remediar, es una...
Mi7   La

ESTRIBILLO
Dama, dama...

De colores

Popular

De c<u>o</u>lores, de colores se visten
Do
los campos en la prima<u>ve</u>ra.
Sol7

De colores, de colores son
los pajarillos que vienen de f<u>ue</u>ra.
Do

De colores, de colores es el
arco iris que vemos l<u>u</u>cir
Fa
y por eso los ricos a<u>m</u>ores,
Do
de muchos col<u>o</u>res, me gustan a <u>mí</u>. (2)
Do

♩ 86

Delirio

C. Portillo

Si pudiera expresarte cómo es de inmenso, en el fondo
     La7   Do   Fa7

                                de mi corazón,]
                                sim   Mi7

mi amor por ti.
La7

Ese amor delirante que abraza mi alma,
      mim   La7   rem

en pasión que atormenta mi corazón.
  Si7   fam   Mi7

Siempre que estás conmigo en mi tristeza,
     La7   Do   Fa7

estás en mi alegría y en mi sufrir.
     sim   Sol   La7

Porque en ti se encierra toda mi dicha;
         Re   rem   do♯m

si no estoy contigo, mi bien, no sé qué hacer.
Fa♯7   Si7   Mi7   mim Mi7

Es mi amor delirio de estar contigo,
     fa♯m lam   La7

y yo soy dichoso porque me quieres también.
 do♯m   dom   sim   Mi7   La

(bis desde «Siempre que estás conmigo en mi tristeza»...)

Despierta

G. Ruiz – G. Luna

Despierta mi bien, despierta,
La
despierta si estás dormida
        Mi
y asómate a la ventana
que pasa la estudiantina. (2)
      La

Sal niña al balcón,
      Mi
a escuchar nuestras canciones,
  Re   **Mi** **La**
que sale de dentro del alma
y alegran los corazones. (2)
      La

Debajo de tu ventana
hay un lindo mirador, mira mirador,
      Mi
donde se para la tuna
atraída por tu amor, por tu amor.
    La
Ya sé que estás en la cama,
pero que no duermes, no,
     Mi
que no duermes, no.

Ya sé que estás escuchando
las notas de mi canción, mi canción.
    La

No vayas, no vayas,
donde la mar se agita,
  La7   **Re**
que si dulce es la brisa,
      La
más dulce será el amor. (2)
Mi   **La**

El desterrado

O. Parra

Desterrado me fui para el muey,
La7   Re   La7   Re
desterrado por el gobierno al año volví
                                    La7
con aquel cariño inmenso,
                          Re
me fui con el fin de por allá quedarme,
                                      Sol
sólo el amor de esa mujer me hizo volver.
          Re   La7   Re

Ay, qué noches tan intranquilas paso en la vida sin ti,
        La7   Re
ni un pariente ni un amigo ni a quien quejarme,
        Re   La7
me fui con el fin de por allá quedarme.
                                    Sol

Sólo el amor de esa mujer me hizo volver.
          Re   La7   Re

Dile

Aristía – J. C. Duque

Sé que algo no anda bien, algo en ti está cambiando,
Do   **Sol/Si**

te siento lejos, tan distante de mí,
Do   **Fa**   **Do**   **Sol**

sé que alguien anda entre tus sueños, no intentes ser su dueño.
Mi7   **Mi7**   **Fa**   **Do/Mi**   **Fa**

Dile que no voy a olvidarte, que lo eres todo para mí,
     Fa   **Do/Mi**   **rem**   **Si♭**   **Fa/La Do7**

dile que busque en otros brazos, que no me deje estar sin ti.
Do7/Si♭   **lam7**   **Re/Fa♯**   **solm7 Fa/La Do7**

ESTRIBILLO

Dile que no voy a perderte, que no me deje en soledad,
     Fa   **Do/Mi**   **rem**   **Si♭**   **Fa/La**   **Do7**

dile que te vaya olvidando, que de una vez te deje en paz.
Do7   **Si♭**   **lam7**   **Re/Fa♯ solm7 Fa/La**   **Do7**

Dile que un gran amor no se quiebra tan fácil,
     Fa   **Do/Mi**   **rem Si♭**   **Fa/La**   **Do7**

dile que el nuestro no es amor de papel,
Do7   **Si♭**   **lam7**   **solm7**

que una pasión no es suficiente, que nuestro amor no miente.
                                Fa/La   **Do7**

ESTRIBILLO
Dile que no voy a perderte...

Dime, niño, ¿de quién eres?

Popular

Dime, niño, ¿de quién eres,
Do
todo vestido de blanco?
Sol7   **Do**
Soy de la Virgen María
Fa   **Sol7**   **Do**
y del Espíritu Santo.
rem Sol7 Do

Dime, niño, ¿de quién eres
Do
y si te llamas Jesús?
Sol7   **Do**
Soy amor en el pesebre
Fa   **Sol7**   **Do**
y sufrimiento en la cruz.
rem   **Sol7**   **Do**

ESTRIBILLO
Resuenen con alegría
Do
los cánticos de mi tierra
Sol7   **Do**
y viva el niño de Dios
Sol7   **rem**
que nació en la Nochebuena. (2)
Sol7   **Do**

La Nochebuena se viene,
     Sol7
la Nochebuena se va
Fa   **Do**   **Sol**   **Do**
y nosotros nos iremos
     Sol7
y no volveremos más.
Fa   **Do**   **Sol**   **Do**

ESTRIBILLO
Resuenen con alegría... (2)

Dime, señor

Mocedades

Sólo en el puerto de la verdad
Re   sim   mim   La7
veo mi vida meciéndose en el mar.
Re   sim   Sol   La7
Es una barca que no viene ni va,
fa#m   sim   mim   La7
mis esperanzas son velas sin hinchar.
Re   sim   Sol   La7

No tengo playas donde atracar,
Re   sim   mim   La7
no tengo amarras, a nadie tengo ya.
Re   sim   Sol   La7
A la deriva está mi barca en el mar,
fa#m   sim   mim   La7
a la deriva mi vida flota ya.
Re   sim   Sol   La7

Dime, señor, a quién tengo que esperar,
Re   La   Sol   La7
con qué viento, con qué rumbo debo navegar.
      Sol   La7   Sol   Mi   Re   La7
Dime, señor pescador del mas allá,
Re   La   Sol   La7
habrá un puerto donde pueda anclar.
Sol   La7   Re

La   sim   fa#m   La7

Sólo en el puerto de la verdad
Re   sim   mim   La7
dos flores blancas se mecen en el mar.
Re   sim   Sol   La7
Son dos amores que no puede alcanzar,
fa#m   sim   mim   La7
son dos entregas y, a cambio, soledad.
Re   sim   Sol   La7

Dios está aquí

Popular

Di̲os est̲á aqu̲í (está aquí),
Do   Sol   lam   Fa Sol Do
ta̲n cierto como el aire que respiro,
Do7   Fa Sol Do Sol
ta̲n cierto como la mañana se levanta,
lam
tan ci̲erto como este c̲anto,
**   Fa   Sol**
lo puedes oí̲r.
**   Fa   Do**

Lo̲ puedes senti̲r movié̲ndose
Do   Sol   Fa
entre los que a̲man,
**   Do**
lo puedes oí̲r canta̲ndo
**   Sol   Fa**
con nosotros así̲,
**   Do**
lo puedes lleva̲r, cua̲ndo por esa
**   Sol   Fa**
puerta salga̲s,
**   Do**
lo puedes guarda̲r
**   Sol**
muy de̲ntro de tú cora̲zón.
**   Fa   Do**

Lo̲ puedo nota̲r, junto a ti̲,
Do   Sol   Fa
en cualquier mome̲nto.
**   Do**
Le puedes ha̲blar
**   Sol**
de esa vi̲da que le quieres da̲r.
**   Fa   Do**
No temas ya má̲s. Él es Di̲os
**   Sol   Do**
y os̲ perdonará a todos.
lam
Jesús est̲á aquí, si tú qui̲eres
**   Fa   Sol**
le̲ puedes segui̲r.
Fa   Do

Dos cruces

C. Larrea

Sevilla tuvo que ser, con su lunita plateada,
             Mi7   **lam**   **La7**
testigo de nuestro amor bajo la noche callada.
               rem Si7   **Mi7**
Y nos quisimos tú y yo con un amor sin pecado,
              Mi7   **lam**   **rem**
pero el destino ha querido que vivamos separados.
           lam   **Si7**   **Mi7** **La**

ESTRIBILLO
Están clavadas dos cruces en el monte del olvido,
                 Si♭   **La**   **Mi7**
por dos amores que han muerto sin haberse comprendido.
                  La **Mi7**   **La**
Están clavadas dos cruces en el monte del olvido,
                 Si♭   **La**   **Mi7**
por dos amores que han muerto, que son el tuyo y el mío.
                  La **sim7**   **Mi7**   **La**

¡Ay, barrio de Santa Cruz! ¡Oh, plaza de Doña Elvira!,
              Mi7   **lam**   **La7**
hoy vuelvo yo a recordar y me parece mentira.
              rem Si7   **Mi7**

Y todo aquello acabó, todo quedó en el olvido,
             Mi7   **lam**   **rem**
nuestras promesas de amores en el aire se han perdido.
           lam   **Si7 Mi7**   **La**

ESTRIBILLO
Están clavadas dos cruces en el monte del olvido...

Dos palomitas

Popular

Dos palomitas se lamentaban llorando,
  mim   Sol   Do Re7 Sol

una a la otra se consolaban diciendo:
           mim   Sol Si7 mim

quién te ha cortado tus bellas alas, paloma,
  mim   Sol   Do Re7 Sol

algún falsario ha sorprendido tu vuelo.
         mim   Sol Si7 mim

¡Ay, ay, ay!, paloma,
  Do Re7 Sol Do Re7 Sol

algún falsario ha sorprendido tu vuelo.
         mim   Sol Si7 mim

Las dos puntas

O. Rocha – C. Ocampo

Cuando pa' Chile me voy,
Do   **Sol7**
cruzando la cordillera,
            Do
late el corazón contento,
           Sol7
una chilena me espera,
         Do
late el corazón contento,
           Sol7
una chilena me espera.
         Do

Y cuando vuelvo de Chile,
Do   **Sol7**
entre cerros y quebradas,
           Do
late el corazón contento
          Sol7
pues me espera una cuyana.
           Do

Viva la chicha y el vino,
Re7   **Sol**
viva la cueca y la zamba,
     Re7   **Sol**

dos puntas tiene el camino
        Fa   **Do**
y en las dos alguien me aguarda,
           Sol7   **Do**
dos puntas tiene el camino
        Fa   **Do**
y en las dos alguien me aguarda.
           Sol7   **Do**

Yo bailo la cueca en Chile
Do   **Sol7**
y en Cuyo bailo la zamba,
           Do
en Chile, con la chilena,
          Sol7
y con la otra en Calingasta.
          Do

Vida triste, vida alegre,
Do   **Sol7**
ésa es la vida de arriero,
          Do
penitas en el camino
          Sol7
y risa al fin del sendero.
          Do

Échame a mí la culpa

J. A. Espinoza

Sabes mejor que nadie que me fallaste,
Si♭
que lo que prometiste se te olvidó,
Fa7
sabes a ciencia cierta que me engañaste,
aunque nadie te amara igual que yo.
Si♭

Lleno estoy de razones pa' despreciarte
y sin embargo quiero que estés feliz.
Si♭7

ESTRIBILLO
Que allá en el otro mundo
dom
en vez de infierno encuentres gloria
Fa7   Si♭
y que una nube de tu memoria me borre a mí.
Fa7   Si♭

Dile a quien pregunte que no te quise,
Fa7   Si♭
dile al que te engañaba que fui lo peor,
Fa7   Si♭
échame a mí la culpa de lo que pase,
cúbrete tú la espalda con mi dolor.
Si♭   Mi♭

ESTRIBILLO
Que allá en el otro mundo...

Ella

J. A. Jiménez

Me cansé de rogarle,
      La
me cansé de decirle
que yo sin ella
de pena muero.
      Mi7
Ya no quiso escucharme,
      Mi7
si sus labios se abrieron
fue pa' decirme:
«ya no te quiero».
      La

Yo sentí que mi vida
      La
se perdía en un abismo
profundo y negro
      La7
como mi suerte.
      Re
Quise hallar el olvido
      Re
al estilo Jalisco,
   Mi7   **La**
pero aquellos mariachis
      Mi7
y aquel tequila
me hicieron llorar.
      La

Me cansé de rogarle,
      La
con el llanto en los ojos
alcé mi copa
y brindé por ella.
      Mi7
No podía despreciarme,
      Mi7
era el último brindis
de un bohemio con una reina.
      La

Los mariachis callaron,
      La
de mi mano sin fuerzas
cayó mi copa
      La7
sin darme cuenta.
      Re

Ella quiso quedarse
      Re
cuando vio mi tristeza,
   Mi7   **La**
pero ya estaba escrito
      Mi7
que aquella noche,
perdiera su amor.
      La

Ella y él

J. L. Perales

Re   Sol   Re   La

Ella se pregunta dónde irá, él está seguro de su amor,
Re   Sol   Re La Sol   Re   La

ella le esperará hasta el amanecer,
Sol   Re

el tendrá un pretexto que contar.
sim   mim   La

Ella lo entenderá, ella lo entenderá
Sol   Re

porque sólo vive para él.
sim   Sol   La

Él nunca le dirá, él nunca le dirá
Sol   Re

que buscó el amor de otra mujer.
sim   Sol   La   Re

ESTRIBILLO
Y en la misma cama soñarán ella y él,
Sol   Re

él con el amor que conquistó, ella con él, ella con él.
Sol   Re La   Re

Ella le dirá que siente amor sólo por él
Sol   Re

y él murmurará sin contestar: «¿qué hora es, qué hora es?».
Sol   Re La   Re

Ella planchará su pantalón, tomará el teléfono al sonar,
Re   Sol   Re La Sol   Re   La

él no vendrá a comer, él no vendrá a comer,
Sol   Re

los negocios se lo impedirán.
sim   mim   La

Y ella comprenderá, ella comprenderá
Sol   Re

porque sólo existe para él.
sim   Sol   La

Él nunca le dirá, nunca se lo dirá,
Sol   Re

y es mejor para los tres.
sim   Sol   La   Re

ESTRIBILLO
Y en la misma cama soñarán ella y él... (2)

Érase una vez

J. A. Goytisolo – P. Ibáñez

Érase una vez
Mi
un lobito bueno
     Si7
al que maltrataban
todos los corderos. (2)
     Mi

Y había también
Mi
un príncipe malo,
     Si7
una bruja hermosa
y un pirata honrado. (2)
     Mi

Todas esas cosas
había una vez
     Si7
cuando yo soñaba
un mundo al revés. (2)
     Mi

Eres tú

J. C. Calderón

Como una promesa eres tú, eres tú,
Do   Sol   Fa   Do
como una mañana de verano.
              Sol   Fa Sol7
Como una sonrisa eres tú, eres tú,
Do   Sol   Fa   Do
así, así, eres tú.
   Sol7   Do   Fa   Sol

Toda mi esperanza eres tú, eres tú,
Do   Sol   Fa   Do
como lluvia fresca en mis manos.
              Sol   Fa Sol7
Como fuerte brisa eres tú, eres tú,
Do   Sol   Fa   Do
así, así, eres tú.
   Sol7   Do   Sol

ESTRIBILLO
Eres tú,
Do Sol lam
   como el agua de mi fuente.
           Fa   Re7   Do   Sol
Eres tú
Sol7 Do   Fa
el fuego de mi hogar.
       Do Sol7   Do   Sol7
Eres tú,
Do Sol lam
   como el fuego de mi hoguera.
           Fa   Re7   Do   Sol
Eres tú el trigo de mi pan.
Sol7 Do   Fa   Do   Sol7   Do

Como mi poema eres tú, eres tú,
              Sol   Fa   Do
como una guitarra en la noche.
              Sol   Fa Sol7
Como mi horizonte eres tú, eres tú,
Do   Sol   Fa   Do
así, así, eres tú.
   Sol7   Do   Sol

ESTRIBILLO
Eres tú...

101

Esclavo y amo

Popular

No sé qué tie<u>ne</u>n tus ojos,
lam
no sé qué tiene tu b<u>oca</u>,
Sol
que dominan mis ant<u>oj</u>os
Fa
y a mi sangre vuelven <u>lo</u>ca.
Mi7

No se cómo <u>fui</u> a quererte
lam
ni cómo te fui ador<u>an</u>do,
Sol
me siento morir mil <u>ve</u>ces
Fa
cuando no te estoy mir<u>an</u>do.
Mi7

De noche, cuan<u>do</u> me acuesto,
rem
a Di<u>os</u> le pido olvid<u>ar</u>te
Mi7   **lam**
y al amanecer desp<u>ie</u>rto
Sol
tan s<u>ólo</u> para adora<u>rte</u>.
Fa   **Mi7**

STRIBILLO
Qué influencia <u>tie</u>nen tus labios
lam
que cuando me besas, tiem<u>blo</u>
Sol
y haces que me sienta es<u>cla</u>vo
Fa
y amo del unive<u>rso</u>.
Mi7

De noche, cuan<u>do</u> me acuesto,
rem
a Di<u>os</u> le pido olvid<u>ar</u>te
Mi7   **lam**
y al amanecer desp<u>ie</u>rto
Sol
tan s<u>ólo</u> para adora<u>rte</u>.
Fa   **Mi7**

ESTRIBILLO
Qué influencia tienen tus labios...

Esos locos bajitos

J. M. Serrat

A menudo los hijos se nos parecen,
Sol   mim   sim

así nos dan la primera satisfacción,
Do   lam7   Re7   Sol

ésos que se menean con nuestros
fa#m   Si7   mim   mim7
[gestos,

echando mano a cuanto hay a su
          La7   La7   Re7
[alrededor.

Esos locos bajitos que se incorporan
Sol   mim   sim

con los ojos abiertos de par en par,
Do   lam7   Re7   Sol

sin respeto al horario ni a las
fa#m   Si7
[costumbres,
          mim

y a los que por su bien hay
La7   La7   Re7
[que domesticar.
          Re7   Sol

ESTRIBILLO
Niño, deja ya de joder con la pelota,
     Do lam7   Re7   Sol

niño, que eso no se dice,
sim   Do   La#

que eso no se hace,
          lam7

que eso no se toca.
     Re7 Sol Do lam7   Re7   Sol

Cargan con nuestros dioses y nuestro
Sol   mim
[idioma,
          sim

nuestros rencores y nuestro porvenir,
          Do   lam7   Re7   Sol

por eso nos parece que son de goma
fa#m   Si7   mim   mim7

y que les bastan nuestros cuentos para
          La7   Re
[dormir.

Nos empeñamos en dirigir sus vidas
     Sol   mim   sim

sin saber el oficio y sin vocación,
Do   lam7   Re7   Sol

les vamos transmitiendo nuestras
     fa#m   Si7
[frustraciones
          mim

con la leche templada y en cada
La7   Re
[canción.
          Sol

ESTRIBILLO
Niño, deja ya de joder con la pelota...

Nada ni nadie puede impedir
Sol   mim
[que sufran,
          sim

que las agujas avancen en el reloj,
     Do   lam7   Re7   Sol

que decidan por ellos, que se
fa#m   Si7
[equivoquen,
          mim

que crezcan y que un día nos digan
La7   La7   Re7 Re7
[adiós.
          Sol

103

Española

V. Bianchi

lam   Sol   Fa   Mi

Españo<u>la</u>,
    lam

dame un abrazo de herma<u>no</u>
                    Sol

con sabor venezol<u>ano</u>
            Fa

para yo decirte un ¡ol<u>é</u>! (2)
             Mi

Españo<u>la</u>,
    lam

maracas y castañue<u>las</u>
            Sol

que repican Venezue<u>la</u>
            Fa

<u>pa</u>ra así decir tu nom<u>bre</u>.
            Mi

Oye mi <u>can</u>to (oye mi canto),
    Mi7

tan tropi<u>cal</u> (tan tropical),
        lam

yo te lo <u>trai</u>go (yo te lo traigo)
    Mi7

de mi lu<u>gar</u> (de mi lugar).
        lam

Oye mi <u>can</u>to (oye mi canto),
    Mi7

que es pa<u>ra</u> ti (que es para ti),
        lam

que allá en Es<u>pa</u>ña se canta <u>así</u>.
        Mi7   **lam**

Con el tra <u>la</u> <u>la...</u>
      lam Sol   **Fa**   **Mi**

¡Española!

Españolito

A. Machado – J. M. Serrat

Ya hay un español que quiere
Do   Sol Do

vivir y a vivir empieza
  Fa   Re7   Sol

entre una España que muere
Fa   Do   Mi7

y otra España que bosteza.
        lam   Fa   Sol

RECITADO
Españolito que vienes
al mundo, te guarde Dios.
Una de las dos Españas
ha de helarte el corazón.

105

Esta noche nace el Niño

Popular

Esta noche nace el Niño
Do   **Sol**   **Do**

entre la paja y el hielo,
solm   **Do**   **Fa**

ta-ra-ra-ra-ra-ra-ran,

ta-ra-ra-ra-ra-ra-lan,

ra-la-lan-lan.
Do   **Fa**

Quién pudiera, mi niño hermoso,
               Sol

vestirte de terciopelo,
   Sol   **Sol**

ta-ra-ra-ra-ra-ra-ran,

ta-ra-ra-ra-ra-ra-ran,

ta-ra-ra-ra-tan-lan-tan.
      Sol   **Do**

Su madre en la luna
   Fa

durmiéndole está
         Sol

y quiere dormirle
        Sol

con dulce cantar,
          Do

la-ran-la-la-la-la-la-ran,
    Fa

la-la-la,
   Sol

la-la-la-la-la-la-la-ran,
         Sol

la-la-la.
   Do

Esta tarde vi llover

A. Manzanero

Esta tarde vi llover, vi gente correr,
           Re   **mi♭m**
y no estabas tú.
mim   **Si♭**   **La7**
La otra noche vi brillar un lucero azul,
          mim   **solm**   **La7**
y no estabas tú.
Re   **lam7**   **Re7**

La otra tarde vi que un ave enamorada
          Sol   **Si7**   **mim**
daba besos a su amor ilusionada,
      Do♯7   **fa♯m** **Si7**
y no estabas tú.
     mim   **La7**

Esta tarde vi llover, vi gente correr,
           Re   **mi♭m**
y no estabas tú.
mim   **Si♭**   **La7**
El otoño vi llegar, al mar oí cantar,
          mim   **solm**   **La7**
y no estabas tú.
Re   **lam7 Re7**

Ya no sé cuánto me quieres,
          Sol   **Fa♯7**
si me extrañas o me engañas.
          sim   **solm**
Sólo se que vi llover, vi gente correr,
     Re   **mi♭m** **mim**   **sim**
y no estabas tú.
La7   **Re**

Estrellita del sur

C. Rueda

Cuando lejos de ti quiera penar el corazón,
       La   **sim**
yo te recordaré en tu reír y en tu gemir.
       Mi7   **La**
La sensación que fue canto de amor, himno de paz,
      Fa#   **sim**
los momentos de dolor sólo serán felicidad. (2)
      Re   **La**   **Mi7**   **La**

No, no, no te digo un adiós, estrellita del sur,
      La   **sim**
porque pronto volveré a tu lado otra vez.
    La7   **La**
Y de nuevo sentir la fragancia sutil,
   Fa#   **sim**
campanas de bonanza repican en mi corazón.
      Re   **La**   **Mi7**   **La**

Estudiantina portuguesa

Padilla – Castro – Rigel

Somos cantores de la tierra lusitana,
lam   **Fa**   **Mi7**
traemos canciones de los aires y del mar,
                          lam
vamos llenando los balcones y ventanas
        La7   **rem**
de melodías del antiguo Portugal.
    Sol7   **Do**

Oporto riega en vino rojo las praderas,
        lam   **Fa**   **Mi7**
de flores rojas va cubriendo el litoral,
                          lam La7
verde es el Tajo, verdes son sus dos riberas,
        rem   **Sol7**   **Do** **Fa**
los dos colores de la enseña nacional.
    Mi7   **La**

Por qué tu tierra toda es un encanto,
        La   **Mi7 La**
por qué, por qué se maravilla quien te ve,
                  Si♭   **Mi7**
¡Ay!, Portugal, por qué te quiero tanto,
        sim   **Mi7**
por qué, por qué te envidian todos, ¡Ay!, por qué.
        sim   **Mi7**   **La**

Será que tus mujeres son hermosas,
        La   **Mi7** **La**
será, será que el vino alegra el corazón,
                  Si♭   **Mi7**
será que huelen bien tus lindas rosas,
        sim   **Mi7**
será, será que estás bañado por el sol.
    sim   **Mi7**   **La**

Fina estampa

C. Granda

Una veredita alegre
Si7
con luz de luna o de sol
Mi
prendida, como una cinta
Si7
con sus lados de arrebol.
Mi

Arrebol de los geranios
Si7
y sonrisas con rubor,
Mi
arrebol de los claveles
Si7
y las mejillas en flor.
Mi

Perfumada de gardenia,
Si7
rociada de mañanita,
Mi
la veredita sonríe
Si7
cuando tu piel la acaricia.
Mi

Y la cuculí se ríe
Si7
y la ventana se agita
Mi
cuando por esa vereda
Si7
tu fina estampa paseas.
Mi

ESTRIBILLO
Fina estampa, caballero,
Si7   **Mi**
caballero de fina estampa,
Si7
un lucero que sonriera bajo un sombrero,
Mi   **Si7**

no sonriera más hermoso, ni más luciera,
Mi   **Si7**
caballero, y en su andar, andar reluce
Mi   **Si7**
la acera al andar, andaaar.
Mi

Te lleva hacia los aguajes
Si7
y a los patios encantados,
Mi
te lleva hacia las praderas
Si7
y a los amores soñados.
Mi

Veredita que se arrulla
Si7
con tafetanes bordados,
Mi
tacón de chafín de seda
Si7
y justes almidonados.
Mi

Es un caminito alegre
Si7
con luz de luna o de sol
Mi
que he de recorrer cantando
Si7
por si te puedo alcanzar,
Mi
fina estampa, caballero,
Si7
quién te pudiera guardar.
Mi

ESTRIBILLO
Fina estampa, caballero...

La flor de la canela

C. Granda

Déjame que te cuente, limeña,
lam   **Mi7**   **lam**
déjame que te diga la gloria
           La7   **rem**
del ensueño que evoca en la memoria
   Sol7   **Do**
el viejo puente del río y la alameda.
   Mi7   **lam**
                 [Mi7

Déjame que te cuente, limeña,
           lam
ahora que aún perdura el recuerdo,
          La7   **rem**
ahora que aún se mecen en un sueño,
Sol7   **Do**
el viejo puente del río y la alameda.
   Mi7   **lam**

ESTRIBILLO
Jazmines en el pelo y rosas en la cara,
        Sol7   **Do**
airosa caminaba la flor de la canela.
   Sol7   **Do**
Derramaba lisura y a su paso dejaba
   Sol7   **Do**
aromas de mixtura que en el pecho
La7   **rem**   **Sol7**
              [llevaba.
             Do

Del puente a la alameda el menudo
        Sol7
              [pie la lleva
             Do
por la vereda que se estremece al ritmo
        Sol7
              [de sus caderas.
             Do
Recogía la risa de la brisa del río
   Sol7   **Do**

y al viento la lanzaba, del puente a la
      La7   **rem**   **Sol7**
           [alameda.
           Do   **Mi7**

Déjame que te cuente, limeña,
           lam
ay, deja que te diga, morena, mi
       Mi7
           [pensamiento.
           lam   **Mi7**
A ver si así despiertas del sueño,
               lam
el sueño que entretiene, morena, mi
        Mi7
           [sentimiento.
           lam   **Mi7**

Aspiras la lisura que da la flor de la
           lam
              [canela,
adornada con jazmines, matizando su
       Mi7   **lam**
           [hermosura.
           Mi7
Alfombras de nuevo el puente y
          [engalanas la alameda,
           lam
y el río acompasará tus pasos por la
       Mi7   **lam**
           [vereda.

Y recuerda que...
       Sol7

ESTRIBILLO
Jazmines en el pelo y rosas en la cara...

Flor marchita

Popular

En cada hoja del libro

mim Si7   mim

voy dibujando una flor,

Si7   mim Mi7

que se parezca a tu cara

lam   Mi7   lam

en su encendido rubor.

          Do   Si7

Pero no lo he conseguido,

    mim Si7   mim

he de subir al altar,

Si7   mim

robarle una a la Virgen,

Do   lam   mim

y así poderte cantar.

Si7   Mi

ESTRIBILLO

Toma, niña, esta rosa,

      Mi

plántala en tu balcón.

        Si7

No la dejes, se deshoja,

      fa♯m

cuídala con amor.

Si7 Mi Sol♯7

Si la flor se marchita mi vida se apaga,

    do♯m sol♯m   La   Mi

no juegues, niña, y dame la flor.

Do♯7   fa♯m   Si7   Mi Sol♯7

Si la flor se marchita mi vida se acaba,

    do♯m sol♯m   La   Mi

mátame antes que muera de amor.

Do♯7   fa♯m   Si7   Mi

De noche cuando me duermo

    mim Si7   mim

sueño, bendita ilusión,

    Si7   mim Mi7

tú a mi lado, chiquilla,

lam   Mi7   lam

juntos paseamos los dos.

       Do   Si7

Todas las noches lo mismo,

    mim   Si7   mim

no quiero ya soñar más,

    Si7   mim

quiero que vengas conmigo,

   Do   lam   mim

y así poderte cantar.

Si7   Mi

ESTRIBILLO

Toma, niña, esta rosa...

8va

Fonseca

Popular

Adiós, adiós, adiós,
    mim
aulas de mi querer
donde con ilusión mi carrera estudié.
             Si7

Adiós, mi universidad,
  lam   mim
cuyo reloj no volveré a escuchar.
  Si7   mim
Adiós, mi universidad,
  lam   mim
cuyo reloj no volveré a escuchar.
  Si7   mim

Las calles están mojadas
    mim Si7 mim
y parece que llovió,
       Si7
son lágrimas de una niña
   lam   Si7
por el amor que perdió.
lam   Si7   mim

Triste y sola, sola se queda Fonseca,
    Si7 mim   Si7
triste y llorosa queda la Universidad.
 lam   Si7 lam   Si7 mim
Y los libros, y los libros empeñados
  Si7 mim   Mi7   lam
en el monte, en el monte de piedad.
  mim Si7   mim

No te acuerdas cuando te decía,
    mim   Si7 mim
a la pálida luz de la luna,
      Si7
yo no puedo querer más que a una
    lam   Si7
y esa una, mi vida, eres tú.
   lam   Si7 mim

Francisco Alegre

Quintero – León – Quiroga

En los carteles han puesto un nombre

sim   Fa♯7

[que no lo quiero mirar,

sim

Francisco Alegre y olé, Francisco Alegre

sim   Fa♯7   sim

[y olá.

La gente dice ¡Vivan los hombres!

sim   Fa♯7

[cuando lo ven torear,

sim

yo estoy rezando por él con la boquita

mim   Fa♯7   sim

[cerrá.

Desde la arena me dice «niña morena,

La   La7   Re

¿por qué me lloras, carita de emperaora?

La   La7   Re

Dame tu risa, mujer, que soy torero

Fa♯7   sim

[andaluz,

y llevo al cuello la cruz de Jesús que

mim

[me diste tú».

Fa♯7

Francisco Alegre, corazón mío,

Fa♯7   sim

tiende su capa sobre la arena

[del redondel.

Fa♯7

Francisco Alegre tiene un vestido,

mim   Fa♯7

con un «te quiero» que entre suspiros

[yo le bordé.

sim

Torito bravo, no me lo mires de

La   La7

[esa manera,

Re

deja que adorne tus rizos negros con

La   La7

[su montera.

Re

Torito noble, ten compasión,

Fa♯7   sim

que entre bordaos lleva encerrado

mim   sim

[Francisco Alegre y olé mi corazón.

Fa♯7   sim

En mi ventana tengo un letrero pa'

sim   Fa♯7

[quien lo venga a mirar,

sim

Francisco Alegre y olé, Francisco Alegre

Fa♯7   sim

[y olá.

En el que dice cuánto te quiero pero

Fa♯7

[qué pena me da,

sim

por culpa de otro querer no nos

mim   Fa♯7

[podemos casar.

sim

Desde la arena me dice «niña morena,

La   La7   Re

quién te enamora, carita de emperaora.

La   La7   Re

Ya no te acuerdas, mujer, de este

Fa♯7

[torero andaluz,

sim

que lleva al cuello la cruz de Jesús

[que le diste tú».

Fa♯7

El gato que está triste y azul

R. Carlos

Cuando era un chiquillo, qué alegría,
Do   Sol
jugando a la guerra noche y día,
Sol7   Do
saltando una verja, verte a ti
      Do7   Fa
y así, en tus ojos, algo nuevo descubrir.
fam   Do   Sol   Do

Las rosas decían que eras mía
     Do   Sol
y un gato, que me hacía compañía,
     Sol7   Do
desde que me dejaste, no sé por qué,
       Do7   Fa   fam
la ventana es más alta sin tu amor.
Do   Sol   Do

El gato que está en nuestro cielo
Do   mim
no va a volver a casa si no estás.
Sol   Fa
No sabes, mi amor, qué noche bella,
presiento que tú estás en esta estrella.
Sol   Do

El gato que está triste y azul
     mim   lam
nunca se olvida que fuiste mía,
    Fa   Sol   Do
mas sé que sabrá de mi sufrir,
    mim   lam
lágrima clara de primavera.
    Fa Sol Do
El gato, en la oscuridad,
mim   lam
sabe que, en mi alma, una lágrima hay.
    Fa   Sol   Do

Gracias a la vida

V. Parra

Gracias a la vida, que me ha dado tanto,
mim   Si7   mim
me dio dos luceros que, cuando los abro,
      Re   Sol
perfecto distingo lo negro del blanco
      Si7   mim
y en el alto cielo su fondo estrellado,
      Re   Sol
y en las multitudes, al hombre que yo
      Do   Si7   mim
      [amo.

Gracias a la vida, que me ha dado tanto,
      Si7   mim
me ha dado el cielo, que en todo su
      Re
      [ancho
      Sol
graba noche y día grillos y canarios,
      Si7   mim
martillos, turbinas, ladridos, chubascos,
      Re   Sol
y la voz tan tierna de mi bien amado.
      Do   Si7   mim

Gracias a la vida, que me ha dado tanto,
      Si7   mim
me ha dado el sonido y el abecedario,
      Re   Sol
con él las palabras que pienso y
      Si7
      [declaro,
      mim
madre, amigo, hermano, y luz
      Re
      [alumbrando,
      Sol
la ruta del alma del que estoy amando.
      Do   Si7   mim

Gracias a la vida, que me ha dado tanto,
      Si7   mim

me ha dado la marcha de mis pies
      Re
      [cansados,
      Sol
con ellos anduve ciudades y charcos,
      Si7   mim
playas y desiertos, montañas y llanos,
      Re   Sol
y la casa tuya, tu calle y tu patio.
      Do   Si7   mim

Gracias a la vida, que me ha dado tanto,
      Si7   mim
me dio el corazón que agita su mano,
      Re   Sol
cuando miro el fruto del cerebro
      Si7
      [humano,
      mim
cuando miro el bueno tan lejos del
      Re
      [malo,
      mim
cuando miro el fondo de tus ojos
      Do   Si7
      [claros.
      mim

Gracias a la vida, que me ha dado tanto,
      Si7   mim
me ha dado la risa y me ha dado el
      Re
      [llanto,
      Sol
así yo distingo dicha de quebranto,
      Si7   mim
los dos materiales que forman mi canto,
      Re   Sol
y el canto de todos que es mi propio
      Do   Si7
      [canto.
      mim

Granada

A. Lara

Granada, tierra soñada por mí,
lam   Mi7   lam

mi cantar se vuelve gitano cuando es para ti.
Sol   Fa   Mi7

Mi cantar, hecho de fantasía,
Mi   Fa   Mi

mi cantar, flor de melancolía
Fa

que yo te vengo a dar.
rem   Mi   Sol7

Granada, tierra ensangrentada
Do

en tarde de toros,
mim   Sol7

mujer que conserva el embrujo
de los ojos moros,
Do

te sueño rebelde y gitana, cubierta de flores,
mim

y beso tu boca de grana, jugosa manzana,
Si7   mim   Si7

que me habla de amores.
mim Sol7

Granada, manola cantada en coplas preciosas,
Do   mim   Sol7

no tengo otra cosa que darte que un ramo de rosas,
Do

de rosas de suave fragancia
Do7   Fa

que le dieran marco a la Virgen morena.
fam   Do   Sol7   Do

Granada, tu tierra está llena
La♭   Do

de lindas mujeres, de sangre y de sol.
mim   Sol7   Do

Guantanamera

J. Martí

ESTRIBILLO
Guantanemera, guajira
Do   Fa   Sol
guantanamera.
Do   Fa   Sol
Guantanamera, guajira
Do   Fa Sol
guantanamera.
Do   Fa Sol

Yo soy un hombre sincero
Do   Fa   Sol
de donde crece la palma
Do   Fa   Sol
y antes de morirme quiero
Do   Fa   Sol
echar mis versos del alma.
Do   Fa   Sol

ESTRIBILLO
Guantanemera, guajira...

Yo vengo de todas partes
Do   Fa   Sol
y hacia todas partes voy;
Do   Fa   Sol
arte soy entre las artes,
Do   Fa   Sol
en los montes, montes soy.
Do   Fa   Sol

ESTRIBILLO
Guantanemera, guajira...

Oculto en mi pecho bravo
Do   Fa   Sol
la pena que me lo hiciere;
Do   Fa   Sol

el hijo de un pueblo esclavo
Do   Fa   Sol
vive por él, calla y muere.
Do   Fa   Sol

ESTRIBILLO
Guantanemera, guajira...

Con los pobres de la tierra
Do   Fa   Sol
quiero yo mi suerte echar;
Do   Fa   Sol
el arroyo de la sierra
Do   Fa   Sol
me complace más que el mar.
Do   Fa   Sol

ESTRIBILLO
Guantanemera, guajira...

Yo sé de un pesar profundo
Do   Fa   Sol
entre las penas son nombres;
Do   Fa   Sol
la esclavitud de los hombres
Do   Fa   Sol
es la gran pena del mundo.
Do   Fa   Sol

ESTRIBILLO
Guantanemera, guajira...

Estimo a quien de un revés
Do   Fa   Sol
echa por tierra a un tirano;
Do   Fa   Sol
lo estimo si es cubano,
Do   Fa   Sol

lo estimo si aragonés.
Do   Fa   Sol

ESTRIBILLO
Guantanemera, guajira...

Mi verso es de un verde claro
Do   Fa   Sol

y de un carmín encendido,
Do   Fa   Sol

mi ciervo es un ciervo herido
Do   Fa   Sol

que busca en el monte amparo.
Do   Fa   Sol

ESTRIBILLO
Guantanemera, guajira...

Gocé una vez de tal suerte
Do   Fa   Sol

que gocé cual nunca: cuando
Do   Fa   Sol

la sentencia de mi muerte
Do   Fa   Sol

leyó el alcalde llorando.
Do   Fa   Sol

ESTRIBILLO
Guantanemera, guajira...

Yo quiero, cuando me muera,
Do   Fa   Sol

con patria, pero sin amo,
Do   Fa   Sol

tener en mi losa un ramo
Do   Fa   Sol

de flores ¡y una bandera!
Do   Fa   Sol

ESTRIBILLO
Guantanemera, guajira...

Hijo de la luna

J. M. Cano – N. Cano

Tonto el que no entienda,
mim   **lam**   **mim**   **lam**

cuenta la leyenda,
mim   **lam**   **mim**   **lam**

que una hembra gitana
Sol   **Si7**

conjuró a la luna
mim   **Re**

hasta el amanecer.
Do   **Si7**   **mim**   **lam**

Llorando pedía
Sol   **Si7**

que al llegar el día
mim   **Re**

desposar un calé.
Do   **Si7**   **mim**   **lam**   **mim**   **lam**

Tendrás a tu hombre, piel morena,
mim   **lam**   **mim**   **lam**

desde el cielo habló la luna llena,
mim   **lam**   **mim**   **lam**

pero a cambio quiero
Sol   **Si7**

el hijo primero
mim   **Re**

que le engendres a él.
Do   **Si7**   **mim**   **lam**

Que quien su hijo inmola
Sol   **Si7**

para no estar sola
mim   **Re**

poco le iba a querer.
Do   **Si7**   **mim**   **lam**   **Fa7**

Estribillo
Luna quieres ser, madre,
sim   **Sol**   **Fa7**

y no encuentras querer
sim   **Sol**

que te haga mujer.
   Fa7   **sim**

Dime, luna de plata,
    Sol   **Fa7**

qué pretendes hacer
sim   **Sol**

con un niño de piel.
   Fa7   **sim**

Ah-ah-ah-ah.
mim   **sim**

Ah-ah-ah-ah.
mim   **sim**

Hijo de la luna.
  Do   **mim**   **lam**   **mim**   **Do**

De padre canela nació un niño
mim   **lam**   **mim**   **lam**

blanco como el lomo de un armiño.
mim   **lam**   **mim**   **lam**

Con los ojos grises
mim   **Re**

en vez de aceituna,
mim   **Re**

niño albino de luna.
Do   **Si7**   **mim**   **lam**

Maldita su estampa,
  Sol   **Si7**

este hijo es un payo
mim   **Re**

y yo no me lo callo.
Do   **Si7**   **mim**   **lam**   **Fa7**

Estribillo
Luna quieres ser, madre...

Gitano, al creerse deshonrado
mim   lam mim   lam

se fue a su mujer cuchillo en mano,
mim   lam   mim   lam

de quién es el hijo,
Sol   Si7

me has engañao fijo,
mim   Re

y de muerte la hirió.
Do   Si7   mim   lam

Luego se hizo al monte
Sol   Si7

con el niño en brazos
mim   rem

y ahí le abandonó.
Do Si7   mim   lam Fa7

Estribillo
Luna quieres ser, madre...

Y en las noches que haga luna llena
mim   lam   mim   lam

será porque el niño esté de buenas.
mim   lam   mim   lam

Y si el niño llora
Sol   Si7

menguará la luna
  mim   Re

para hacerle una cuna.
Do   Si7   mim   lam

Y si el niño llora
Sol   Si7

menguara la luna
  mim   Re

para hacerle una cuna.
Do   Si7   mim

lam   mim   lam   mim

Himno a la alegría

M. Ríos

Escucha, hermano,
Re   La
la canción de la alegría,
      sim   Mi7 La7
el canto alegre del que espera
Re   La   sim
un nuevo día.
    La7 Re

ESTRIBILLO
Ven, canta, sueña cantando,
 La   Re   La   Re
vive soñando el nuevo sol,
 La   sim   Mi   La7
en que los hombres volverán
Re   La   fa#m sim
a ser hermanos.
 Mi La7   Re

Si en tu camino
Re   La
sólo existe la tristeza
      sim   Mi7 La7
y el llanto amargo de la soledad
Re   La   sim
completa.
   La7 Re

ESTRIBILLO
Ven, canta, sueña cantando...

Si es que no encuentras
Re   La
la alegría en esta tierra,
    sim   Mi7 La7
búscala, hermano, más allá
 Re   La   sim
de las estrellas.
   La7   Re

ESTRIBILLO
Ven, canta, sueña cantando...

El hombre del piano

B. Joel

Ésta es la historia de un sábado
Mi   Si   do#m
de no importa qué mes
La   Si
y de un hombre sentado al piano
 Mi   Si   do#m
de no importa qué viejo café.
      La   Si   Mi
Toma el vaso y le tiemblan las manos
Mi   Si   do#m
apestando entre humo y sudor
La   Si
y se agarra a su tabla de náufrago
Mi   Si   do#m
volviendo a su eterna canción.
      La   Si   Mi

La, la, la, la...
do#m La do#m Fa#   Si7

Toca otra vez, viejo perdedor,
Mi   Si   do#m
haces que me sienta bien,
La   Si
es tan triste la noche que tu canción
Mi   Si   do#m
sabe a derrota y a hiel.
 La   Si

Cada vez que el espejo de la pared
Mi   Si   do#m
le devuelve más joven su piel,
La   Si
se le encienden los ojos y su niñez
Mi   Si   do#m
viene a tocar junto a él.
 Mi   Si   do#m
Pero siempre hay borrachos con babas
Mi   Si   do#m
que le recuerdan quién fue:
 La   Si
el más joven maestro al piano
Mi   Si   do#m
vencido por una mujer.
 Mi   Si   do#m

La, la, la, la...
do#m La do#m Fa#   Si7

Ella siempre temió echar raíces,
 Mi   Si   do#m
que pudieran sus alas cortar.
    La   Si
En la jaula metida, la vida se le iba
Mi   Si   do#m
y quiso sus fuerzas probar.
Mi   Si   do#m
No lamenta que dé malos pasos
 Mi   Si   do#m
aunque nunca desea su mal.
    La   Si
Pero a ratos con furia golpea el piano
Mi   Si   do#m
y hay algunos que le han visto llorar.
Mi   Si   do#m

La, la, la, la...
do#m La do#m Fa#   Si7

El micrófono huele a cerveza
Mi   Si   do#m
y el calor se podría cortar.
La   Si
Solitarios oscuros buscando pareja
 Mi   Si   do#m
apurándose un sábado más.
 Mi   Si   do#m
Hay un hombre aferrado a un piano,
 Mi   Si   do#m
la emoción empapada en alcohol
La   Si
y una voz que le dice «pareces cansado
Mi   Si   do#m
y aún no ha salido ni el sol».
Mi   Si   do#m

La, la, la, la...
do#m La do#m Fa#   Si7

Horas de ronda

Villena – Villellas

Con algazara cruza por la población
     lam   **Mi7**
la alegre tuna desgranando una canción,
     rem   **Mi7**   **lam** **La7**
canción amante, canción de ronda,
        rem   **lam**
que hace feliz a la mujer en su ilusión.
     rem   **Mi7**   **lam**

Por una escala de guitarras y bandurrias
      lam   **Mi7**   **lam**
trepan las coplas hasta el último balcón.
    rem   **Mi7**   **lam rem Mi7**

Horas de ronda de la alegre juventud
     La   **Si♭**   **Mi7**
que abren al viento surcos de noble inquietud.
       sim   **Mi7**   **La**
Sal niña hermosa, sal pronto a tu balcón,
        Si♭   **sim**
que un estudiante te canta con pasión.
       Mi7   **La**

Horas de ronda que la noche guardará
     La   **Si♭**   **Mi7**
como un recuerdo que jamás se borrará.
     Do♯7   **fa♯m**
La estudiantina te dice adiós, mujer,
     Fa♯   **sim**
y no suspires que pronto ha de volver.
    Mi7   **lam**

Rasga el silencio de la noche una canción
    lam   **Mi7**
que busca abrigo en un amante corazón,
     rem   **Mi7** **lam** **La7**
horas de ronda, rumor de capas,
     rem   **lam**
y una letrilla que se enreda en un balcón.
     rem   **Mi7**   **lam**

Tras los cristales una sombra femenina
     lam   **Mi7**   **lam**
que escucha atenta, temblorosa de emoción.
    rem **Mi7**   **lam rem**   **Mi7**

Isa canaria

Popular

Esta noche no alumbra
La
la farola del mar,
Sol
esta noche no alumbra
La
porque no tiene gas,
Re
porque no tiene gas, porque no tiene
[gas,
Sol
esta noche no alumbra la farola del mar.
La   **Re**

Todas las Canarias son
Sol   **La**
como ese Teide gigante,
Re
todas las Canarias son
Sol   **La**
como ese Teide gigante,
Re
mucha nieve en el semblante
Sol   **La**
y fuego en el corazón.
Re

Aunque tú no me quieras,
tengo el consuelo
La
de saber que tú sabes
que yo te quiero.
Re
Que yo te quiero, niña,
que yo te quiero,
La
aunque tú no me quieras
tengo el consuelo.
Re

Tus ojos, morena, me matan a mí,
Mi
y yo, sin tus ojos, no puedo vivir,
Re

no puedo vivir, no puedo vivir,
La
tus ojos morena me matan a mí.
Re

Ay, qué noche tan oscura,
ay, qué oscuridad tan grande,
La
ay, qué niña tan bonita
si me la diera su madre.
Re

Si me la diera su madre,
si me la diera su madre.
La
Ay, qué noche tan oscura,
ay, qué oscuridad tan grande.
Re

De Berlingo nos vamos pa'l monte
La
en pirata, en pirata. (2)
Re
Échale vino tinto a ese coche
La
que no arranca, que no arranca. (2)
Re

Virgen de Candelaria,
la más bonita,
la más morena,
Sol   **La**
la que tiende su manto
desde la cumbre
hasta la arena.
Re
Hasta la arena, niña,
la arena, hasta la arena.
Sol   **La**
Virgen de Candelaria,
la más bonita, la más morena
Re

Islas Canarias

J. M. Tarridas

¡Ay, Canarias! la tierra de mis amores,
Mi   **lam**
ramo de flores que brotan de la mar.
Si7   **mim Si7 mim Si7**

Vergel (ay, mi vergel sin par) de belleza
mim   **lam**   **Si7**
         [sin par,
         mim
son nuestras islas Canarias, que hacen
Re   **Do7**   **Si7**   **lam**
         [despierto soñar.
         Do   **Si7**

Jardín (bello jardín en flor) ideal
    Mi   **lam**   **Si7**
         [siempre en flor,
         mim
son tus mujeres las rosas, luz del cielo
Re   **Re7**   **Sol** **Si7**
         [y del amor.
         Mi

Islas Canarias, islas Canarias. (2)
         Si7   **Mi**

El corazón de los guanches,
  [(islas Canarias, islas Canarias)
      La   **Si7**
y el murmullo de la brisa.
    [(islas Canarias, islas Canarias)
     Mi

El corazón de los guaaaaanches,
      Mi   **La fa♯m**
   [(islas Canarias, islas Canarias)
   Fa♯7 Si7
y el murmullo de la brisa.
         fa♯m
   [(islas Canarias, islas Canarias)
   Si7   **Mi**

Suspiran todos amaaantes,
      mim   **Re**
  [(islas Canarias, islas Canarias) (2)
   Do Si7
por el amor de una isa.
         Mi
[(Islas Canarias, Islas Canarias)

Desde la cumbre bravíííííía,
  Mi   **La fa♯m** **Si7**
hasta el mar que nos abraza.
         Mi

Desde la cumbre bravíííííía,
  Mi   **La**   **fa♯m Si7**
hasta el mar que nos abraza.
  fa♯m   **Si7 Mi**

No hay tierra como la míííía, (2)
      mim   **Re Do Si7**
ni raza como mi raza.
         Mi

Mi La Si7 Mi La Si7 Mi

¡Ay!, mis siete islas Canarias,
  Mi   **lam**   **Si7**
con el pico Teide de guardián,
         Mi
son siete hermosos corazones
      lam   **Si7**
que palpitan al mismo compás.
         Mi

¡Mis siete islas Canarias!
  lam   **Mi**

Jamás, jamás

«Chucho» Navarro

Si quieres separar
Do♯7   **fa♯m**   **Si7**
nuestro destino,
      Mi
ya nunca me verás
      Sol♯
en tu camino.
do♯m   **dom**   **sim** **Mi7**

Tú vivirás sin mí,
     La
yo moriré sin ti,
    Si7
¡Ay! es el destino.
    Mi
Mas nunca me verás
Do♯7   **fa♯m**   **Si7**
en tu camino.
   Mi

Yo no regresaré (jamás, jamás),
      Sol♯
a ver qué cosa fue (de ti, de ti),
      do♯m
tú nunca me verás (jamás, jamás, jamás),
      Fa♯
nunca jamás.
   Si7

Júrame

M. Grever

Todos dicen que es mentira que te quiero
      dom   Sol7   dom

porque nunca me habían visto enamorado
      Sol♯   Sol7

y te juro que yo mismo no comprendo
     Sol♯   Sol7

el porqué tu mirar me ha fascinado.
                              dom

Cuando estoy cerca de ti y estás contenta
      dom   Sol7   dom

no quisiera que de nadie te acordaras,
     Do7   fam

tengo celos hasta del pensamiento
    sol♯m   Sol7

que pueda recordarte a otra persona amada.
                       Do   lam   rem Sol7

Júrame que aunque pase mucho tiempo
Do

no olvidarás el momento en que yo te conocí,
                Do   Sol7

mírame, que no hay nada más profundo
   rem   Sol7   rem

ni más grande en este mundo que el cariño que te di.
               Sol7   Do

Bésame con un beso enamorado
     Do7   Fa

como nadie me ha besado desde el día en que nací,
            fam   Sol7

quiéreme, quiéreme hasta la locura
Do   rem   Do La♯ La7

y así sabrás la amargura que estoy sufriendo por ti. (2)
            rem   Sol7   Do

Júrame.
fam   Do

Lágrimas negras

M. Matamoros

Aunque tú me has echado donde el abandono,
    lam   La7   rem
aunque tú has muerto todas mis ilusiones,
    Sol7   Do   Mi7
en vez de maldecirte con justo encono
    lam   La7   rem
en mis sueños te colmo,
              lam
en mis sueños te colmo de bendiciones.
          Si7   Mi7   lam

Sufro la inmensa pena de tu extravío,
                        La7   rem
siento el dolor profundo de tu partida
    Sol7   Sol   Do
y lloro sin que sepas que el llanto mío
  Si7   Mi7
tiene lágrimas negras,
rem   lam
tiene lágrimas negras como mi vida.
          Si7   rem   lam   Mi7

Tú me quieres dejar,
      lam
yo no quiero sufrir contigo,
    Mi7   rem
me voy sola aunque me cueste morir.
    lam   Mi7   lam

Lamento borincano

R. Hernández

Sale loco de contento con su cargamento
rem   Do   La#7
[para la ciudad, para la ciudad.
La7   rem La7
Lleva en su pensamiento todo un
rem   Do
[mundo lleno de felicidad, de felicidad.
La#7   La7   rem
Piensa remediar la situación
Do   La#7   La7
de su hogar que es toda su ilusión, sí.
Re

Y alegre el jibarito va,
cantando así, diciendo así, riendo así
Si7
[por el camino:
mim   La7
«Si yo vendo la carga, mi Dios querido,
mim   La7   mim   La7
un traje a mi viejita voy a comprar».
mim   La7   Re

Y alegre también su yegua va
al presentir que aquel cantar es todo
Si7
[un himno de alegría,
mim La7
en esto les sorprende la luz del día
mim   La7   mim La7
y llegan al mercado de la ciudad.
mim   La7   Re

Pasa la mañana entera sin que nadie
rem   Do   La#7
[quiera su carga comprar,
La7 rem La7 rem
[su carga comprar.
Do La#7   La7   rem La7

Todo, todo está desierto, el pueblo está
rem   Do   La#7
[lleno de necesidad,
rem   La7
[de necesidad.
rem Do La#7   La rem La7

Se oye este lamento por doquier
Do   La#7   La7
de su desdichada Borinquen, sí.
Re

Y triste el jibarito va,
cantando así, diciendo así, llorando
Si7
[así por el camino:
mim   La7
«¿Qué será de Borinquen, mi Dios
mim   La7   mim
[querido?
La7
¿Qué será de mis hijos y de mi hogar?».
mim   La7   Re

Borinquen, la tierra del Edén, la que
[al cantar el gran Gautier,
llamó la perla de los mares,
Si7   mim La7
ahora que tú te quedas con mis
mim
[pesares,
La7
déjame que te cante yo también, (2)
mim   La7   Re
yo también.
solm   Re

130

Lamento gitano

M. Grever

Yo no sé por qué he nacido
dom Sol7   dom   Sol7

ni crecido junto al llanto,
dom Sol7   dom   Sol7

ni por qué te he conocido
dom   Si♭

ni por qué te quiero tanto.
    La♭   Sol   dom Sol7

Hasta en mis sueños de niño
Do Sol7   Do   Sol7

soñaba mi mente loca
  Do Sol7   dom Sol7

que tu cariño era mío
dom Sol7   dom Sol7

y los besos de tu boca.
  dom Sol7 dom   Sol7

Gitana, mujer extraña
dom fam7   dom   fam7

de mala entraña,
    dom   fam

que se me fue
    dom Sol7

destrozándome la vida,
dom Sol7   dom Sol7

sin su amor me moriré.
   dom Sol7 dom

Gitana.
 La♭   dom fam dom

Libre

Armenteros – Herrero

Tiene casi veinte años y está cansado de soñar
lam   Mi7   lam   Sol   lam

pero tras la frontera está su hogar, su mundo y su ciudad.
rem   Mi7   lam   rem   Mi7

Piensa que la alambrada sólo es un trozo de metal,
lam   Mi7   lam   Sol   lam

algo que nunca puede detener sus ansias de volar.
rem   Mi7   lam   rem   Mi7   Sol7

ESTRIBILLO

Libre como el sol cuando amanece, yo soy libre como el mar,
Do   lam   Do   lam

libre como el ave que escapó de su prisión y puede al fin volar.
rem   Sol   Do

Libre como el viento que recorre su lamento y mi pesar,
            Fa   Do   Mi   lam

camino sin cesar, buscando la verdad y sabré lo que es al fin la libertad.
  Fa   Do   Sol7   Do   Sol7   Do

Con su amor por bandera se marchó cantando una canción.
lam   Mi7   lam   Sol   lam

Marchaba tan feliz que no escuchó la voz que le llamó,
rem   Mi7   lam   rem   Mi7

y tendido en el suelo se quedó sonriendo sin hablar,
lam   Mi7   lam   Sol   lam

sobre su pecho flores carmesí brotaban sin césar.
rem   Mi7   lam   rem   Mi7   Sol7

ESTRIBILLO
Libre como el sol cuando amanece...

Lisboa antigua

R. Portela

Lisboa antigua reposa llena de encanto y belleza.
    lam   Mi7 rem   Mi7   lam
Que fuiste hermosa al sonreír y al lucir tan airosa.
                   Sol   Fa   Mi7 lam
El velo de la nostalgia
             rem
cubre tu rostro de linda princesa.
    Mi7   La

No volverás,
 sim Mi7
Lisboa antigua y señorial,
              La
a ser morada feudal,
   sim   Mi7
a tu esplendor real.
     La La7

Las fiestas y los lucidos saraos,
   Re rem   Mi7 La
y los pregones al amanecer,
         sim   Mi7
ya nunca volverán.
      La

Lo dejaría todo

Chayanne

lam   Re   Sol   Do   (2)

He intentado casi todo para convencerte,
lam   Re

mientras el mundo se derrumba todo aquí a mis pies,
Sol   Do

mientras aprendo de esta soledad que desconozco,
              lam   Re

me vuelvo a preguntar quizás si sobreviviré.
Sol   Do

Porque sin ti me queda la conciencia en la demasía,
         lam   Re

porque sin ti me he dado cuenta, amor, que no renaceré,
       Sol   Do

porque yo he ido más allá del limite de la desolación,
            lam   Re

mi cuerpo, mi mente y mi alma ya no tienen conexión
        Do   lam   Sol   lam

y yo te juro que...
         Re

ESTRIBILLO
Lo dejaría todo porque te quedaras,
            Sol

mi credo, mi pasado, mi religión,
            Do

después de todo estás rompiendo nuestros lazos
            Re

y dejas en pedazos a este corazón,
            Sol

mi piel también la dejaría, mi nombre, mi fuerza, hasta mi propia vida,
            Do   Sol   Re   Fa#

y qué más da perder, si te llevas de él toda mi fe,
mim   lam   Re

qué no dejaría.
         Do   Sol

Duelen más tus cosas buenas cuando estás ausente,
lam

yo sé que es demasiado tarde para remediar,
Sol   **Do**

no me queda bien valerme de diez mil excusas
lam   **Re**

cuando definitivamente sé que ahora te vas.
Sol   **Do**

Aunque te vuelva a repetir que estoy muriendo día a día,
       lam   **Re**

aunque también estés muriendo, no me perdonarás,
Sol   **Do**

aunque sin ti haya llegado al límite de la desolación,
       lam   **Re**

mi cuerpo, mi mente y mi alma ya no tienen conexión,
     Do   **lam**   **Sol**   **lam**

sigo muriéndome...
       Re

ESTRIBILLO
Lo dejaría todo porque te quedaras... (2)

Mi cuerpo, mi mente y mi alma ya no tienen conexión,
     Do   **lam**   **Sol**   **lam**

qué no dejaría.
       Do   **Sol**

Lucía

J. M. Serrat

Vuela esta canción
lam
para ti, Lucía,
    rem
la más bella historia de amor
          Do
que tuve y tendré.
    Mi

Es una carta de amor
      lam
que se lleva el viento
      rem
pintado en mi voz
    Do
a ninguna parte,
    Sol
a ningún buzón.
    lam

No hay nada más bello
    Sol
que lo que nunca he tenido,
    rem   **Do**
nada más amado
que lo que perdí.
    lam

Perdóname si
    sim
hoy busco en la arena
    lam
una luna llena
    rem
que arañaba el mar.
    Mi

Si alguna vez fui un ave de paso,
lam   **Mi**
lo olvidé para anidar en tus brazos.
    lam

Si alguna vez fui bello y fui bueno,
rem   **Sol**
fue enredado en tu cuello y tus senos.
Mi   **lam**
Si alguna vez fui sabio en amores,
lam   **rem**
lo aprendí de tus labios cantores.
Sol   **Do**

Si alguna vez amé,
si algún día
    rem
después de amar, amé,
    lam
fue por tu amor, Lucía... Lucía.
    Mi

Tus recuerdos son
    lam
cada día más dulces.
    rem

El olvido sólo
    Do
se llevó la mitad,
    Sol
y tu sombra aún
    lam
se acuesta en mi cama
    rem
con la oscuridad,
    Do
entre mi almohada
    Sol
y mi soledad.
    lam

Luna de España

Moraleda – Llovet – Lara

La luna es una mujer
      lam
y por eso el sol de España
        rem
anda que bebe los vientos
  Mi7   lam
por si la luna le engaña.
  Fa   Mi7

¡Ay! le engaña porque,
porque en cada anochecer,
         lam
después de que el sol se apaga,
          rem
sale la luna a la calle
  Mi7   lam
con andares de gitana.
  Fa   Mi7 lam   Sol7

Cuando la luna sale, sale de noche,
    Do   Do7   Fa
un amante le aguarda en cada reja,
                 Do
luna, luna de España cascabelera,
  lam   Sol7
luna de ojos azules, cara morena.
        Do Fa Sol

Y se oye a cada paso la voz de un hombre,
  Do   Do7   Fa
que a la luna que sale le da su queja,
              Do
luna, luna de España cascabelera,
  lam   Sol7
luna de ojos azules, cara morena.
    Do Mi7   fam

Luna de España, mujer.
 fam   Do

Luna de Xelajú

Popular

Luna, gardenia de plata
lam
que en mi serenata se vuelve canción,
rem
tú que me viste cantando,
Mi7
me ves hoy llorando mi desolación.
lam

Calles bañadas de luna
que fueron la luna de mi juventud,
La7 **rem**
vengo a cantarle a mi amada,
lam
la luna plateada de mi Xelajú.
Mi7 **lam**

rem lam Mi7 La

Luna de Xelajú,
sim **Mi7**
que supiste alumbrar
sim **Mi7**
en mis noches de pena
sim
por una morena de dulce mirar.
Mi7

Luna de Xelajú,
sim **Mi7**
me diste inspiración,
sim **Mi7**
la canción que te canto
sim
regada con llanto de mi corazón.
Mi7 **La** **Mi7**

En mi vida no habrá
La
más cariño que tú
porque no eres ingrata
La7
mi luna de plata, luna de Xelajú.
Re Fa♯7 **sim**

Luna que me alumbró
Fa
en mis noches de amor
La Sol Fa♯7
y hoy consuelas la pena
sim
por una morena que me abandonó.
Mi7 **La**

Luna lunera

T. Fergo

Luna lunera cascabelera,
    lam   rem

ve y dile a mi chiquita
    lam

por Dios que me quiera,
    rem   lam

dile que no vivo de tanto padecer,
Do do♯m Sol7   Do

dile que a mi lado debiera volver.
        lam   Fa7   Mi7

Luna lunera cascabelera,
    lam   rem

ve y dile a mi chiquita
    lam

por Dios que me quiera,
    rem   lam

dile que me muero,
Do   Sol7

que tenga compasión,
          Do

dile que se apiade de mi corazón.
      Fa7   Mi7   lam

¡Ay, lunita redondita,
Sol   Fa

que la espuma de tu luz bañó mi
              Fa7

                [noche!
                Mi7

¡Ay, lunita redondita,
Sol   Fa

dile que me has visto tú llorar de
Sol   Fa

                [amor!
                Mi7

(bis desde «Luna lunera cascabelera...» hasta «...dile que se apiade de
mi corazón»).

¡Ay, lunita redondita,
Sol   Fa

que la espuma de tu luz bañó mi
              Fa7

                [noche!
                Mi7

¡Ay, lunita redondita,
Sol   Fa

dile que me has visto tú llorar de
Sol   Fa

                [amor!
                Mi7

Luna lunera cascabelera,
    lam   rem

ve y dile a mi chiquita
    lam

por Dios que me quiera,
    rem   lam

dile que me muero,
Do   Sol7

que tenga compasión,
          Do

dile que se apiade de mi corazón.
      Fa7   Mi7   lam

Luna rossa

V. de Crescenzo – A. Vian

Cuando mi corazón se ponga triste
rem   **La7**   **rem**
nunca me olvidaré de tu promesa,
          La7   **rem**
juntos nos hallará, tú me dijiste,
solm   **Re7**   **solm**
siempre en la noche azul la luna rossa.
                 Re7   **solm**

Ella nos servirá de mensajera.
rem   **La7**   , **Re**
La luna rossa nos unirá
        Re
con el mensaje de nuestro amor,
                  La7
si le preguntas responderá
                 Mi♭
que sólo a ti te quiero yo.
La7   **Re**

La luna rossa te contará
cómo te espera mi corazón,
                La7
cómo deseo que vuelvas ya
        La7   **Mi♭**
porque sin ti no vivo yo.
              Re

Fiel amiga de los enamorados,
       rem   **Re7**   **solm**
en mi triste soledad
       solm
comprende bien
          Mi7
que me muero de ansiedad.
             La7

La luna rossa nos unirá
        Re
con el mensaje de nuestro amor,
hoy cuando salga me contará
                Mi♭
si sigues fiel igual que yo.
La7   **Re**

Luna rossa, protege nuestro amor.
La   **rem**   **Sol**   **La7**   **rem**

Macarena

Los del Río

ESTRIBILLO
Dale a tu cuerpo alegría, Macarena,
La
que tu cuerpo es pa' darle alegría y cosa buena,
dale a tu cuerpo alegría, Macarena.
¡Eh, Macarena! (2)
Mi   La

Macarena tiene un novio que se llama,
La
que se llama de apellido Victorino
y en la jura del muchacho
se la dio con dos amigos.
Mi   La

Macarena, Macarena, Macarena,
que te gustan los veranos de Marbella.
Mi   La
Macarena, Macarena, Macarena,
que te gusta la movida guerrillera.
Mi   La

ESTRIBILLO
Dale a tu cuerpo alegría, Macarena...

Macarena sueña con el Corte Inglés
La
y se compra los modelos más modernos,
le gustaría vivir en Nueva York
y ligar un novio nuevo. (2)
Mi   La

ESTRIBILLO
Dale a tu cuerpo alegría, Macarena...

Madrecita

O. Farrés

Madrecita del alma querida,
Do   Sol7   Do
en mi pecho yo llevo una flor,
Fa   Sol7   Do
no te importe el color que ella tenga,
Fa   Sol7   Do   lam
porque al fin tú eres, madre, una flor.
rem   Fa   Sol7

Tu cariño es mi bien, madrecita,
Do   Sol7   Do
en mi vida tú has sido y serás
Fa   Sol7   Do
el refugio de todas mis penas
Fa Sol7   Do   lam
y la dicha de amor y verdad.
rem   Sol7   Do

Aunque amores yo tenga en la vida
rem   Sol7   Do
que me llenen de felicidad,
rem   Sol7 Do Do7
como el tuyo jamás, madrecita,
Fa   Sol7   Do La7
como el tuyo no habré de encontrar.
rem   Sol7   Do

Madrid

A. Lara

Cuando llegues a Madrid, chulona mía,
  Do   do#m   Sol7
voy a hacerte emperatriz de Lavapiés,
  rem   Sol7   Do
y adornarte con claveles la Gran Vía,
          lam7   mim
y a bañarte con vinillo de Jerez.
  Si7   mim Sol7

En Chicote un agasajo postinero,
  Do   do#m   Sol7
con la crema de la intelectualidad,
  rem   Sol7   Do
y la gracia de un piropo retrechero,
  Do7   Fa
más castizo que la calle de Alcalá.
  Sol7   Fa   Do Sol7 Do

Madrid, Madrid, Madrid,
        Fa
pedazo de la España en que nací,
          La♭   solm
por algo te hizo Dios,
        Do7
la cuna del requiebro y del chotis.
                    Fa

Madrid, Madrid, Madrid,
en México se piensa mucho en ti,
  Re7   solm
por el sabor que tienen tus verbenas,
                      Fa
por tantas cosas buenas que soñamos desde aquí,
  Re7   solm7   Do7   Fa Fa7
y vas a ver lo que es canela fina,
          Si♭   Fa
y armar la tremolina cuando llegues a Madrid.
  Re7   solm7   Do7   Fa Do7 Fa

Madrigal

D. Rivera

Estando contigo me olvido de todo y de mí,
       mim   **Si7**   **mim**

parece que todo lo tengo teniéndote a ti,
Mi7 lam

y no siento este mal que me agobia y que llevo conmigo
       mim   **Mi7**

arruinando esta vida que tengo y no puedo vivir.
lam   **Fa♯7**   **Do**   **Si7**

Eres luz que ilumina la noche en mi largo camino
     mim   **Mi7**   **lam**

y es por eso que frente al destino no quiero vivir.
mim   **Fa♯7**   **Si7**   **mim**   **Si7**

Una rosa en tu pelo parece una estrella en el cielo,
          Mi   **La**   **Si7**   **Mi**

y en el viento parece un acento tu voz musical,
                       Do♯7

y parece un destello de luz la medalla en tu cuello
    fa♯m **Si7**

al menor movimiento de tu cuerpo al andar.
              Mi   **Si7**

Yo a tu lado no siento las horas que van con el tiempo
           Mi   **La**   **Si7**   **Mi**

ni me acuerdo que llevo en mi pecho una herida mortal,
Mi7   **La Mi7 La**

yo contigo no siento el sonar de la lluvia y el viento
     lam   **Mi**

porque llevo tu amor en mi pecho como un madrigal.
Do7   **Fa♯**   **Si7**   **mim**

(bis desde «Yo a tu lado no siento las horas...»)

Malagueña salerosa

E. Ramírez – E. Lecuona

Qué bonitos ojos tienes
mim   Si7   mim
debajo de esas dos cejas,
Mi7   lam
debajo de esas dos cejas,
Re7   Sol
qué bonitos ojos tienes.
Do   Si7

Ellos me quieren mirar,
mim   Si7   mim
pero si tú no los dejas,
Mi7   lam
pero si tú no los dejas,
Re7   Sol
ni siquiera parpadear.
Do   Si7

Malagueña salerosa,
mim
besar tus labios quisiera,
Re7
besar tus labios quisiera,
Sol
y decirte niña hermosa,
Do   Si7
eres linda y hechicera.
mim

Eres linda y hechicera,
Re7
eres linda y hechicera
Sol
como el candor de una rosa,
Do   Si7
malagueña salerosa.
mim

Si por pobre me desprecias
mim   Si7   mim
yo te concedo razón,
Mi7   lam
yo te concedo razón
Re7   Sol
si por pobre me desprecias.
Do   Si7

Yo no te ofrezco riquezas,
mim   Si7   mim
te ofrezco mi corazón,
Mi7   lam
te ofrezco mi corazón
Re7   Sol
a cambio de mi pobreza.
Do   Si7

María Elena

L. Barcelata

Tuyo es mi corazón,
Do

oh, sol de mi querer,
Mi♭ rem

mujer de mi ilusión,
Sol7

mi amor te consagré.
Sol   Do

Mi vida la embellece
una esperanza azul,
Mi♭   rem

mi vida tiene un cielo
Sol7

que le diste tú.
Sol

Tuyo es mi corazón,
Do

oh, sol de mi querer,
Mi♭ rem   Sol7

tuyo es todo mi ser,
Mi7

tuyo es, mujer,
Mi7   lam   Do7

ya todo el corazón
Fa   fam

te lo entregué.
Do

María Elena,
Re7

eres mi sol,
Sol7

eres mi amor.
Do

María Isabel

Los Diablos

La playa estaba desierta,
La   **Mi**
el mar bañaba tu piel,
     La
cantando con mi guitarra
       Re
para ti, María Isabel.
 Mi   **La**

ESTRIBILLO
Coge tu sombrero y póntelo,
       Mi
vamos a la playa,
    Re
calienta el sol. (2)
 Mi   **La**
Chiribiribí, porompompom,
       Re
Chiribiribí, porompompom. (2)
  Mi   **La**

En la arena escribí tu nombre
La   **Mi**
y luego yo lo borré,
     La
para que nadie pisara
      Re
tu nombre, María Isabel.
  Mi   **La**

ESTRIBILLO
Coge tu sombrero y póntelo...

La luna fue cambiando
La   **Mi**
junto a las olas del mar,
      La
tenía celos de tus ojos
      Re
y de tu forma de mirar,
 Mi   **La**

ESTRIBILLO
Coge tu sombrero y póntelo...

El martillo

Popular

Si yo tuviera una campana,
Do
la tocaría en la mañana,
　　　　　lam
la tocaría en la noche
　　　　　Do
por todo el país.
　　Sol

ESTRIBILLO
¡Alerta, peligro!,
　　　Do
debemos unirnos
　　lam
para defender la paz.
　　　Fa Sol Do

Si yo tuviera un martillo,
Do
lo golpearía en la mañana,
　　　　　lam
lo golpearía en la noche
　　　　　Do
por todo el país.
　　Sol

ESTRIBILLO
¡Alerta, peligro!...

Si yo tuviera una canción,
Do
la cantaría en la mañana,
　　　　　lam
la cantaría en la noche
　　　　　Do
por todo el país.
　　Sol

ESTRIBILLO
¡Alerta, peligro!...

Ahora tengo una campana,
　Do
ahora tengo un martillo,
　　　　　lam
ahora tengo una canción para cantar:
　　　　　　Do　　　　**Sol**
martillo de justicia,
　　　　Do
campanas de libertad
　　　　lam
y una canción de paz.
　　Fa Sol Do

Me lo decía mi abuelito

J. A. Goytisolo – P. Ibáñez

ESTRIBILLO
Me lo decía mi abuelito,
    Re7   **solm**
me lo decía mi papá,
    Do7   **Fa**
me lo dijeron muchas veces
           La7
y lo olvidaba muchas más. (2)
         rem

Trabaja niño, no te pienses
    rem
que sin dinero vivirás;
        Fa
junta el esfuerzo y el ahorro,
ábrete paso, ya verás,
cómo la vida te depara
buenos momentos; te alzarás
        solm
sobre los pobres y mezquinos
que no han sabido descollar.
        La

ESTRIBILLO
Me lo decía mi abuelito... (2)

La vida es lucha despiadada
    rem
nadie te ayuda así no más,
       Fa
y si tú solo no adelantas,
te irán dejando atrás, atrás.
Anda, muchacho, dale duro.
La tierra toda, el sol y el mar,
       solm
son para aquellos que han sabido
sentarse sobre los demás.
       La

ESTRIBILLO
Me lo decía mi abuelito... (2)

Me va a extrañar

R. Montaner – V. Tasello

Cada mañana el sol nos dio en la cara
Do   Fa   Do

[al despertar,
Sol   Do7

cada palabra que le pronuncié la hacía
Fa   mim   La7

[soñar,
no era raro verla en el jardín corriendo
rem   Sol7

[tras de mí
mim

y yo dejándome alcanzar sin duda era
Fa   Sol7   Do Sol7

[feliz.

Era una buena idea cada cosa
Do   Fa   Sol7 Do

[sugerida,
Sol Do7

ver la novela en la televisión, contarnos
Fa   mim   La7

[todo,
jugar eternamente el juego limpio de
rem   Sol7   mim

[la seducción
La7

y las peleas terminarlas siempre en el
Fa   Re7   Sol7

[sillón.

ESTRIBILLO
Me va extrañar al despertar
Do

en sus paseos por el jardín
Fa

cuando la tarde llegue a su fin,
Sol7

me va a extrañar al suspirar
Do

porque el suspiro será por mí,
Fa

porque el vacío la hará sufrir,
Sol7

me va a extrañar y sentirá
Do

que no habrá vida después de mí,
Fa

que no se puede vivir así,
fam

me va a extrañar
Do

cuando tenga ganas de dormir y
rem   Sol   Do

[acariciar.

Al mediodía era una aventura en la
Do   Fa   Do solm

[cocina,
Do7

se divertía con mis ocurrencias y reía
Fa   mim   La7

cada caricia le avivaba el fuego a
rem   Sol7

[nuestra chimenea,
mim   La7

era sencillo pasar el invierno en
Fa   Re7

[compañía.
Sol

ESTRIBILLO
Me va extrañar al despertar...

Me voy pa'l pueblo

M. Valdés

ESTRIBILLO
Me voy pa'l pueblo, hoy es mi día,
          lam **Re7**   **Sol Mi7**
voy a alegrar toda el alma mía. (2)
      lam   **Re7**   **Sol**

Tanto como yo trabajo
  lam   **Re7**
y nunca puedo irme al vacilón,
     Sol   **Si7**   **mim**
no se qué pasa con esta guajira,
    lam   **Re7**
que no le gusta el guateque y el ron.
     Sol   **Si7**   **mim**

Ahora mismo la voy a dejar
     lam   **Do Re7**
en su bohío asando maíz,
    Sol Si7   **mim**
me voy pa'l pueblo a tomarme un galón
          lam   **Do**   **Re7**
y cuando vuelva se acabó el carbón.
    Sol   **Si7**   **mim**

ESTRIBILLO
Me voy pa'l pueblo, hoy es mi día... (2)

Desde el día en que nos casamos
   lam   **Re7**
hasta la fecha trabajando estoy.
    Sol   **Si7**   **mim**
Quiero que sepas que no estoy dispuesto,
         lam   **Re7**
a enterrarme en vida en un rincón.
    Sol   **Si7**   **mim**

Es lindo el campo, muy bien, ya lo sé,
    La   **Do**   **Re7**
pero pa'l pueblo voy echando un pie.
     Sol   **Si7**   **mim**
Si tú no vienes mejor es así,
    La   **Do Re7**
pues yo no sé lo que será de mí.
   Sol   **Si7** **mim**

ESTRIBILLO
Me voy pa'l pueblo, hoy es mi día... (2)

151

México lindo y querido

«Chucho» Monje

Voz de la guitarra mía,
Do   **Sol7**   **Do**
al despertar la mañana,
                Sol7
quiere cantar su alegría
a mi tierra mexicana.
           Do

Yo le canto a sus volcanes,
      Sol7   **Do**
a sus praderas y flores,
que son como talismanes
del amor de mis amores.

ESTRIBILLO
México lindo y querido,
  Do   **Fa**   **Sol7**
si muero lejos de ti
              Do
que digan que estoy dormido
                 Sol7
y que me traigan aquí.
           Do

Que digan que estoy dormido
   Do   **Fa**   **Sol7**
y que me traigan aquí,
           Do
México lindo y querido,
 Fa   **Do**
si muero lejos de ti.
     Sol7   **Do**

Que me entierren en la Sierra
          Sol7   **Do**
al pie de los magueyales
y que me cubra esta tierra
que es cuna de hombres cabales.

Voz de la guitarra mía,
       Sol7   **Do**
al despertar la mañana,
quiere cantar su alegría
a mi tierra mexicana.

ESTRIBILLO
México lindo y querido...

Mi buen amor

G. Estefan

Hay amores que se esfuman con los
Re   Fa#7
[años,
sim
hay amores que su llama sigue viva,
Si7   Do   mim
los inciertos que son rosa y son espina,
Fa#   sim
y hay amores de los buenos como tú.
Mi   La7

Hay amores que se siembran y
Re   Fa#7
[florecen,
sim
hay amores que terminan en sequía,
Si7   Do   mim
los que traen desengaños en la vida,
Fa#   sim
y hay amores de los buenos como tú.
Mi   La7

Mi amor, mi buen amor, mi delirio,
Fa#   Fa#7   sim
no pretendas que te olvide así no más,
Mi   Mi7   La
que tu amor fue mar cuando sedienta
Re   Fa#   sim
me arrimé a tu puerto a descansar,
Do   Re7   Sol solm

que tu amor, amor sólo el que un día,
Re
en tu pecho, vida mía, me dio la
Si7   mim   La
[felicidad.
Re

Hay amores que nos llevan al abismo,
Re   Fa#7   sim
hay amores que jamás se nos olvidan,
Si7   Do   mim
los que dan toda ternura y fantasía,
Fa#   sim
son amores de los buenos como tú.
Mi   La7

Mi amor, mi buen amor, mi delirio,
Fa#   Fa#7   sim
no pretendas que sea poco mi penar,
Mi   Mi7   La
que tu amor fue luz de pleno día
Re   Fa#   sim
cuando todo era oscuridad,
Do   Re7 Sol   solm
que tu amor, amor sólo el que un día,
Re
en tu pecho, vida mía, me dio la
Si7   mim
[felicidad.
La

Mi burrito cordobés

G. López

ESTRIBILLO

Por un caminito' i pie - e - e - dra
   La   Re   La

el burrito cordobés.
  Mi7   La

La siesta parece da - a - ar - le
   La   Re   La

una paz que huele a miel.
  Mi7   La

El arroyo canta,
   Re

canta a media voz,
   Mi7

la tarde se ha dormido junto al sol.
  Re   Si7   Mi7

ESTRIBILLO

Por un caminito'i piedra...

Tranquilo al trotecito,
  La Mi7

tranquilo en el andar,
      La

total no tiene apuro,
   Mi7

apuro por llegar,
  La

uy, uy, uy, no lo apurés,
   Re   La

uy, uy, uy, no lo silbés,
   Re   La

total no tiene apuro,
  Si7   Mi7

mi burrito cordobés.
  Re La Mi7 La

Por detrás de una lomita
   La   Re   La

el lucero se acercó,
  Mi7   La

y el viento le hace caricias
  La   Re   La

al silencio de la flor.
  Mi7   La

El burrito es sombra,
   Re

sombra y arrebol,
   Mi7

lo acompaña un changuito silbador.
   Re   Si7   La

ESTRIBILLO

Por un caminito'i piedra...

Mi jaca

Popular

Mi jaca galopa
rem
y corta el viento
cuando pasa por el puerto
camini...to de Jerez
Mi   **La**

La quiero
lam
lo mismo que a un gitano
       Mi
que me está dando tormento
       Fa
por culpita de un querer.
Mi   **lam**

Mi niña bonita

Popular

Está llorando la luna
lam
penas de plata y besos de luz,
Mi7
mientras que pasa la tuna,
dime, niña, por quién lloras tú,
lam
para que en ello te ponga
una marca de fuego, mi amor.
La7

ESTRIBILLO
Abre el balcón a la ronda,
rem   **lam**
abre, chiquilla, tu corazón,
Mi7   **lam**   **La7**
para que en él yo me esconda,
rem   **lam**
siempre, siempre, juntitos tú y yo, tú
Mi7   **lam**
                    [y yo.
                    Sol7

Mi niña bonita,
        Do

la luna se apagó,
Sol7   **Do**
te ofrezco, chiquita,
        Sol7   **Do**
un rayo vivo de sol.
Fa   **Mi7**

ESTRIBILLO
Abre el balcón a la ronda...

No llores más, mi niña,
              Do
que las estrellas y los luceros
                    Sol7
se morirán de envidia
al ver lo mucho que yo te quiero.
                    Do
Aunque la ronda pase,
Mi7   **lam**
mi ronda siempre queda,
Re7   **Sol**
se pone el sol, la luna,
Do   **Fa**
se va la tuna, queda el amor. (2)
        Do   **Sol7**   **Do**

Mi querida España

E. Sobredo

Mi querida España,
Mi
esta España viva,
Si7
esta España muerta,
Mi
de tu santa siesta
La
ahora despiertan
Mi
versos de poetas.
Si7
¿Dónde están tus ojos,
dónde están tus manos,
dónde tu cabeza?
Mi

ESTRIBILLO
Mi querida España,
esta España mía,
Si7
esta España nuestra. (2)
Mi

Mi querida España,
esta España en dudas,
Si7
esta España cierta,
Mi
de las alas quietas,
La
de las vendas negras
Mi
sobre carne abierta.
Si7
¿Quién pasó tu hambre,
quién bebió tu sangre,
cuándo estabas seca?
Mi

ESTRIBILLO
Mi querida España... (2)

Mi querida España,
Si7
esta España blanca,
Mi
esta España negra,
La
pueblo de palabra,
Mi
y de piel amarga.
Si7
Quiero ser tu tierra,
quiero ser tu hierba,
cuando yo me muera.
Mi

ESTRIBILLO
Mi querida España... (2)

157 ♩

Mira que eres linda

J. Brito

Mira que eres linda,
Mi7
qué preciosa eres.
lam
Verdad que en mi vida
Sol
no he visto muñeca más linda que tú.
Fa   **mim**   **rem**   **Mi** **lam**

Con esos ojazos,
Mi7
que parecen soles
lam
con esa mirada siempre enamorada
Fa lam   **mi♭m**
con que miras tú.
Mi7

Mira que eres linda,
Mi7
qué preciosa eres,
lam
estando a tu lado verdad que
Sol   **Fa**
me siento más cerca de Dios.
mim   **rem**   **Mi7**

Porque eres divina,
rem Mi7
tan linda y primorosa,
lam
que solo una rosa caída del cielo
rem   **Fa7**   **Mi7**
fuera como tú.
lam **rem**   **lam**

Mitad tú, mitad yo

Popular

Quiero ver jugueteando
    Do   Do7
por las piezas y patios
                Fa
un muñeco de carne, mitad tú, mitad
            Sol   Fa
                            [yo,
                            Do
que lleve en sus cabellos el color de
                        Do7
                            [tu pelo
                                Fa
y en sus ojos de cielo
                Do   La7
la mirada piadosa que Dios te regaló.
        rem   Sol7   Do

ESTRIBILLO
Quiero ver jugueteando
    Do   Do7
ahora, siempre y por vida,
                    Fa
un muñeco de carne, mitad tú, mitad
            Sol   Fa
                            [yo,
                            Do
que lleve en sus mejillas la seda de
                        Do7
                            [tus besos
                                Fa
y en su boca el perfume,
                Do   La7
y en su boca el perfume que tu seno
        rem   Sol7
                            [le dio.
                            Do

Quiero ver que me busca, quiero ver
                Sol7
                    [que me espera,
                            Do
quiero sentir su abrazo cuando me vea
                    Fa   Sol7
                            [llegar,
                            Do
quiero que me diga cosas y me cuente
                    Sol7
                            [mentiras,
                            Do
quiero que me consuele cuando me
                    Fa   Sol7
                        [vea llorar.
                            Do

Quiero después morirme
                    Do7
sabiendo que te queda
                    Fa
un muñeco de carne, mitad tú, mitad
            Sol   Fa
                            [yo,
                            Do
que lleve en sus cabellos...
                    Do   La7

ESTRIBILLO
Quiero ver jugueteando...

Quiero después morirme
                    Do7
sabiendo que te queda
                    Fa
un muñeco de carne, mitad tú, mitad
            Sol   Fa
                            [yo.
                            Do

159 ♪

Mi viejo San Juan

Popular

En mi viejo San Juan cuántos sueños
    Mi   **fa♯m**   **sol♯m**
                        [forjé
en mis noches de infancia.
   Do♯7   **fa♯m**
Mi primera ilusión y mis cuitas de
                Si7
                      [amor
son recuerdos del alma.
         Mi

Una tarde partí hacia extraña nación,
pues lo quiso el destino.
   Mi7   **La**   **lam**
Pero mi corazón se quedó junto al mar
      Mi   **Do♯7**   **fa♯m**
    en mi viejo San Juan.
Si7   **Mi**

ESTRIBILLO
Adiós (adiós, adiós), Borinquen
    fa♯m   **Si7**
    [querido (tierra de mi amor),
   Mi
Adiós (adiós, adiós), mi diosa del mar
              fa♯m   **Si7**
    [(la reina del palmar).
    Mi
Me voy (ya me voy), pero un día
         Mi7   **La**
                [volveré,
        lam
a buscar mi querer, a soñar otra vez,
     Mi   **Do♯7**   **fa♯m**
    en mi viejo San Juan.
Si7   **Mi**

Pero el tiempo pasó y el destino burló
        Mi   **fa♯m**   **sol♯m**
mi terrible nostalgia.
   Do♯7   **fa♯m**
Y no pude volver al San Juan que yo
                  Si7
                  [amé,
pedacito de patria.
     Mi

Mi cabello blanqueó, ya mi vida se va,
ya la muerte me llama,
   Mi7   **La**   **lam**
y no quiero morir alejado de ti,
          Mi **Do♯7** **fa♯m**
    Puerto Rico del alma.
Si7   **Mi**

ESTRIBILLO
Adiós (adiós, adiós), Borinquen
querido (tierra de mi amor)...

Moliendo café

J. Manzano – H. Blanco

ESTRIBILLO

Cuando la tarde languidece, renacen las sombras,
    lam   Mi7   lam

y en la quietud los cafetales vuelven a sentir,
                 La7   rem

es la triste canción de amor de la vieja molienda,
      Sol7   Do lam

que en el letargo de la noche parece decir. (2)
      Fa   Si7   Mi7

Una pena de amor y una tristeza,
    rem   Mi7   lam

lleva el zampo Manuel en su amargura,
    rem   Mi7   lam

pasa incansable la noche moliendo café.
    Si7   Mi7

ESTRIBILLO
Cuando la tarde languidece, renacen las sombras... (2)

La morena de mi copla

Jofre – Castellanos

Julio Romero de Torres
Mi
pintó a la mujer morena,
    Fa   **Mi**
con los ojos de misterio
y el alma llena de pena.
   Sol   **Fa**   **Mi**

Puso en sus manos de bronce
Sol7   **Do**
la guitarra cantaora,
       Mi
y en su bordón un suspiro,
Fa   **Mi**
y en su alma una dolora.
Fa   **Mi** rem Fa Si7 rem Mi Fa Mi

Morena, la de los rojos claveles,
  La   **sim**   **Mi7**
la de la reja florida,
        La
la reina de las mujeres.
    sim   **Mi7**
Morena, la del bordado mantón,
  sim Mi7   **La**
la de la alegre guitarra,
     La7   **Re**   rem
la del clavel español.
La   **Mi7**   **La**   **Mi7** **La**

Como escapada de un cuadro,
Mi
y en el sentir de la copla,
   Fa   **Mi**
toda España la venera,
y toda España la adora.
   Sol   **Fa**   **Mi**

Trenza con su taconeo
Sol7   **Do**
la seguidilla gitana,
     Mi
con sus cantares morunos,
Fa   **Mi**
en la venta gaditana.
Fa

Morenita mía

A. Villarreal

Conocí a una linda morenita y la quise mucho,
    mim   Si7   mim

por las tardes iba enamorado y cariñoso a verla,
    Mi7   lam

al contemplar sus ojos, mi pasión crecía,
    Si7   mim

¡ay! morena, morenita mía, no te olvidaré.
             Si7   Mi

ESTRIBILLO

Hay un amor muy grande que existe entre los dos,
                          Si7   Mi

ilusiones blancas y bellas como una flor,
    fa♯m   sol♯m solm   fa♯m Si7

un cariño y un corazón que siente y que ama,
    fa♯m   Si7   Mi

si no me olvidas, siempre felices seremos los dos.
         sol♯m solm fa♯m Si7   Mi   mim

Yo le dije que de ella, tan sólo, estaba enamorado,
                 Si7   mim

que sus ojos, como dos luceros me habían fascinado,
    Mi7   lam

y cuando a solas pienso en ella, mucho más la quiero,
      Si7   mim

¡ay! morena, morenita mía, no te olvidaré.
             Si7   Mi

ESTRIBILLO

Hay un amor muy grande que existe entre los dos...

Muñequita linda

M. Grever

Te quiero, dijiste
     Mi
tomando mis manos entre tus manitas de blanco marfil,
  do♯m   **sol♯m** **do♯m**   **sol♯m** **Do♯7**   **fa♯m**   **Sol♯**
y sentí en mi pecho un fuerte latido,
       do♯m Fa♯   **Si** **Sol♯**
después un suspiro, y luego el chasquido de un beso febril.
       do♯m   **Fa♯**   **Si7**

Muñequita linda,
      Mi
de cabellos de oro,
de dientes de perla,
Do♯7   **fa♯m**   **Si7**
labios de rubí.
    Mi

Dime si me quieres,
      Mi
como yo te adoro,
si de mí te acuerdas,
Do♯7   **fa♯m**   **Si7**
como yo de ti.
    Mi

Y a veces se escucha,
      La
un eco divino,
sim   **Mi**
que envuelto en la brisa
Do♯7   **fa♯m**
parece decir:
  Si7

«Sí, te quiero mucho,
      Mi
mucho, mucho, mucho,
tanto como entonces,
Do♯7   **fa♯m**   **Si7**
siempre hasta morir».
    Mi

Siempre hasta moriiiiiir...
      La   **lam** **Mi**

Naranjo en flor

H. Expósito – V. Expósito

Era más blanda que el agua,
Mi   fa#m

que el agua blanda.
La   lam   Mi

Era más fresca que el río,
Mi   fa#m

naranjo en flor,
La Si7 Mi

y en una calle de hastío,
Sol   Do

calle perdida,
Re   Sol Si7

dejó un pedazo de vida
Mi   Fa#

y se marchó.
lam Si7 mim

ESTRIBILLO

Primero hay que saber sufrir,
mim   mim7

después amar, después partir
mim7

y al fin andar sin pensamientos,
La/Mi

perfume de naranjo en flor,
lam/Mi mim

promesas vanas de un amor
Fa#7 Si7

que se escaparon en el viento
mim Si7

después, qué importa del después,
mim   mim7

toda mi vida es el ayer
mim7

que se detiene en el pasado,
La/Mi

eterna y vieja juventud
lam/Mi Re Sol

que me ha dejado acobardado
Fa   Mi Si7

como un pájaro sin luz.
mim

¿Qué le habrán hecho mis manos,
Mi   fa#m

qué le habrán hecho,
La   lam Mi

para dejarle en el pecho
Mi   fa#m

tanto dolor?
La Si7 Mi

Dolor de vieja arboleda,
Sol   Do

canción de esquina,
Re   Sol Si7

con un pedazo de vida,
Mi   Fa#

naranjo en flor.
lam   Si7 mim

ESTRIBILLO
Primero hay que saber sufrir...

Navidad

Popular

Mientras haya en la tierra
Mi
un niño feliz,
   Si7   **Mi**
mientras haya una hoguera
para compartir,
La   **Si7**
mientras haya unas manos
      Mi
que trabajen en paz,
  La   **Mi**
mientras brille una estrella,
habrá Navidad.
 Si7   **Mi**

ESTRIBILLO
Navidad, Navidad,
        Si7
en la nieve y la arena.
  Mi   **Si7**
Navidad, Navidad,
  Mi   **Si7**
en la tierra y el mar. (2)
  Mi   **Si7 Mi**

Mientras haya unos labios
que hablen de amor,
  Si7   **mim**
mientras haya unas manos

cuidando una flor,
 La   **Si7**
mientras haya un futuro
      Mi
hacia dónde mirar,
   La   **Mi**
mientras haya perfume,
habrá Navidad.
Si7   **Mi**

ESTRIBILLO
Navidad, Navidad... (2)

Mientras haya un vecino
dispuesto a olvidar,
   Si7   **Mi**
mientras haya un camino,
a quien levantar,
La   **Si7**
mientras pare la guerra
    Mi
y se duerma un cañón,
   La   **Mi**
mientras cure un herido,
habrá Navidad.
Si7   **Mi**

ESTRIBILLO
Navidad, Navidad... (2)

Noche de paz

F. Gruber

Noche de paz angelical,
Do
sacra luz celestial
Sol   **Do**
de las estrellas
Fa
que sobre Belén
     Do
a los hombres anuncia su bien,
Fa   **Do**
ya nació el Redentor,
Sol   **Do**
nuestro consuelo y amor.
       Sol   **Do**

Noche de paz angelical,
tibia luz del umbral
Sol   **Do**
de la gruta elegida por Dios,
   Fa   **Sol**
donde van los pastores
   Fa   **Do**
de Jesús Redentor,
Sol   **Do**
nuestro consuelo y amor.
      Sol   **Do**

Noche de ronda

A. Lara

Noche de ronda, qué triste pasas,
rem   solm   rem
qué triste cruzas por mi balcón.
solm   rem   La7
Noche de ronda, cómo me hieres,
solm
cómo me lastimas mi corazón.
La7

Luna que se quiebra
Re
sobre la tiniebla de mi soledad,
¿a dónde vas?
La7
Dime si esta noche tú te vas de ronda
como ella se fue,
¿con quién está?
Re
Dile que la quiero,
dile que me muero de tanto esperar,
que vuelva ya,
Sol
que las rondas no son buenas,
solm   rem
que hacen daño,
La7
que dan penas,
rem
que se acaba por llorar.
solm   La7   Re

Ojalá que llueva café

J. L. Guerra

Ojalá que llueva café en el campo,
Do   Fa   Sol

que caiga un aguacero de yuca y té,
Do   Fa   Sol

del cielo una jarina de queso blanco
   Do   Fa   Sol

y al sur una montaña de berro y miel.
    Do   Fa   Sol

ESTRIBILLO
Oh,
Fa   Do Mi lam
ojalá que llueva café.
Fa   Sol   Do

Ojalá que llueva café en el campo,
Do   Fa   Sol

peinar un alto cerro de trigo y mapuey,
Do   Fa   Sol

bajar por la colina de arroz graneado
Do   Fa   Sol

y continuar el arador con tu querer.
   Do   Fa   Sol

ESTRIBILLO
Oh...

Ojalá que llueva café en el campo,
  Do   Fa   Sol

que caiga un aguacero de yuca y té,
Do   Fa   Sol

del cielo una jarina de queso blanco
   Do   Fa   Sol

y al sur una montaña de berro y miel.
   Do   Fa   Sol

ESTRIBILLO
Oh...

Ojalá el otoño, en vez de hojas secas,
Do   Fa   Sol

vista mi cosecha de pití salé,
Do   Fa   Sol

sembrar una llanura de batata y fresa,
   Do   Fa   Sol

ojalá que llueva café.
   Do Fa Sol

Pa' que en el conuco no se sufra tanto.
Do   Fa   Sol

¡Ay ombé!
Ojalá que llueva café en el campo.
Do   Fa   Sol

Pa' que en Villa Vásquez oigan este
Do   Fa

                     [canto.
                   Sol
Ojalá que llueva café en el campo.
Do   Fa   Sol

Ojalá que llueva, ojalá que llueva...
Do   Fa   Sol

¡Ay, ombé!
Ojalá que llueva café en el campo,
Do   Fa   Sol

ojalá que llueva café.
   Do   Fa Sol

Ojos españoles

Popular

Son como el sol,
Sol

como el azul del cielo y como el mar,
Re7

son del color
lam   **Re7**   **lam**   **Re7**

del clavel que empieza a despertar,
lam   **Re7**   **Sol**

son algo más

que las estrellas al anochecer,
Sol7   **Do**

olé y olé,
dom   **Sol**   **Mi7**

los ojos de la española que yo amé.
lam   **Re7**   **Sol**

Yo fui feliz

mirando aquellos ojos de mi amor,
Re7

yo nunca vi
lam   **Re7**

ni en el arco iris su color,
lam   **Re7**   **Sol**

son algo más

que las estrellas al anochecer,
Sol7   **Do**

olé y olé,
dom   **Sol**   **Mi7**

los ojos de la española que yo amé.
lam   **Re7**   **Sol**

Ojos de amor que nunca olvidaré.
lam   **Re7**   **dom**   **Sol**

Ojos tapaítos

Popular

<u>No</u> hay ojos más lindos
La♯   la♯m   **Do7**
en la tierra <u>mía</u>
                    Fa
que los ne<u>gro</u>s o<u>jos</u>
              La♯   la♯m
de la tap<u>aí</u>ta.
        Do7

Miradas que ma<u>tan</u>,
                    Do7
ardientes pupi<u>las</u>,
                    Fa
noche cuan<u>do</u> duer<u>men</u>,
          La   **la♯m**
luz cuando nos m<u>iran</u>.
                    Do7

En noches de lu<u>na</u>, <u>per</u>fume de azah<u>ar</u>es,
          solm Do7   **Fa**
en el cielo, est<u>rellas</u>, y tibios los <u>aires</u>,
          Do7   **Fa**
y tras de la r<u>eja</u> cubierta de flo<u>res</u>,
          Do7   **Fa**
la novia que es<u>pe</u>ra temblando de am<u>ores</u>, <u>sí</u>.
          Mi7   **lam Do7**

Y al ver esos ojos que inq<u>uie</u>tos esperan
                          Do7
apagan sus luces las blan<u>c</u>as estrellas,
                    Fa
los aires esparcen aro<u>mas</u> mejores
                    Do7
y todas las <u>flo</u>res sus<u>pi</u>ran de <u>amor</u>.
          Fa   **mim**   **Fa**

Por una mirada de tan <u>lin</u>dos ojos,
                    Do7
estrellas y flores pade<u>cen</u> de hinojos,
                    Fa
los aires suspiran, el <u>cie</u>lo se apaga
                    Do7
y en el alm<u>a</u> <u>v</u>aga la <u>que</u>ja de <u>amor</u>.
          Fa   **mim**   **Fa**

Óyeme

Popular

Óyeme tú, que eres joven,
Sol

tú que sabes comprender,
     Do   **Sol**

tú que guardas en tus manos
     Do   **Sol**

tanta fe.
Re7

Tú que buscas las verdades,
     Sol

tú serás como nosotros,
Do   **Sol**

cantarás una canción.
Do   **Re7** **Sol**

Canto a la flor del campo,
Sol

canto al viento, canto al mar,

canto a la luz que muere en el trigal.
Do

Canto al amor sincero,

canto al fuego del hogar,
     Sol   **mim**

canto a la verdadera libertad.
Do   **Re7**   **Sol**

Canto a los verdes prados,
Sol

canto al aire, canto al sol,

canto a la luz del cielo y al amor.
Do

Canto a la gente humilde

que me mira sin rencor,
     Sol   **mim**

canto a la paz del mundo, canto a Dios.
Do   **Re7**   **Sol**

Pájaro chogüí

Popular

Cuenta la leyenda
Do

que, en un árbol,
lam

se encontraba encaramado
Fa

un indiecito guaraní
Sol7

que, sobresaltado por el grito
Fa   **rem**

de su madre, perdió apoyo
Sol

y, cayendo, se murió.
Do   **Sol**

Y que, entre los abrazos maternales,
Do   **lam**

por extraño sortilegio,
Do

en chogüí se convirtió.
Fa

ESTRIBILLO
Chogüí, chogüí,
Fa

chogüí, chogüí,

cantando está,
Do

mirando acá,

mirando allá,
Sol7

volando se alejó.
Do   **Sol7**

Chogüí, chogüí,
fam

chogüí, chogüí,

qué lindo va,
Do

qué lindo es,

perdiéndose en el cielo
Sol7

azul turquí.
Do

Y desde aquel día

se recuerda el indiecito
lam

cuando se oye, como un eco,
Fa

a los chogüí;
Sol7

es el canto alegre y bullanguero
Fa   **rem**

del gracioso naranjero
Sol

que repite su cantar;
Do   **Sol**

salta y picotea en la naranja,
Do   **lam**

que es su fruta preferida,
Do

repitiendo sin cesar:
Fa

ESTRIBILLO
Chogüí, chogüí...

173

Paloma negra

T. Méndez

Ya me canso de llorar y no amanece,
La   Mi7   La
ya no sé si maldecirte o por ti rezar,
Mi7
tengo miedo de buscarte y de encontrarte
donde me aseguran mis amigos que te vas.
                                La

Hay momentos en que quisiera mejor rajarme
        La   Mi7   La
pa' arrancarme ya los clavos de mi penar,
                       La7   Re
pero mis ojos se mueren sin mirar tus ojos
                   Mi7   La
y mi cariño con la aurora te vuelve a esperar.
     Mi7   La

Ya agarraste por tu cuenta las parrandas,
       La
paloma negra, paloma negra, dónde, dónde estarás,
                                Mi7
ya no juegues con mi honra, parrandera,
si tus caricias deben ser mías, de nadie más.
                                La

Y aunque te amo con locura, ya no vuelvas,
        La   Mi7   La
paloma negra eres la reja de un penal,
                 Mi7   Re
quiero ser libre,
vivir mi vida con quien me quiera.
     Mi7   La

Dios, dame fuerzas,
         Mi7
que estoy muriendo por irla a buscar,
                             La
ya agarraste por tu cuenta las parrandas.

Papaoba

A. Machín

Angelito de ojos tristes,
Do
papaoba, papaoba,
color caoba, papaoba, papaoba,
mim
dime si lloras, (2)
rem
dime si es por mí. (2)
Sol

Y yo haré (2)
Do
que tu cara parezca un sol,
mim
y yo haré (2)
rem
que te sientas feliz. (2)
Sol

Caminando los dos juntos,
Do
papaoba, papaoba,
no llores tanto, papaoba, papaoba,
mim
porque tu llanto (2)
rem
me hace llorar a mí. (2)
Sol

Yo seré pregonero,
Do
papaoba, papaoba,
de tu amor y verdad, papaoba, papaoba,
mim
yo seré el hermano que tienda la mano,
rem
el que busca la paz.
Sol

Los peces en el río

Popular

La Virgen se está peinando
lam   Mi
entre cortina y cortina;
            lam
los cabellos son de oro
          Mi
y el peine de plata fina.
            lam

ESTRIBILLO
Pero mira cómo beben
los peces en el río,
         Mi
pero mira cómo beben
por ver a Dios nacido.
          lam
Beben y beben
y vuelven a beber,
        Mi
los peces en el río
por ver a Dios nacer.
        lam

La Virgen está lavando
lam   Mi
y tendiendo en el romero,
           lam
los angelitos cantando
          Mi
y el romero floreciendo.
         lam

ESTRIBILLO
Pero mira cómo beben...

La Virgen está lavando
lam   Mi
con muy poquito jabón,
           lam
se le picaron las manos,
          Mi
manos de mi corazón.
           lam

ESTRIBILLO
Pero mira cómo beben...

La Virgen va caminando,
lam   Mi
va caminando solita
           lam
y no lleva más compañía
           Mi
que el niño de la manita.
           lam

ESTRIBILLO
Pero mira cómo beben...

Penélope

J. M. Serrat – A. Algueró

Penélope, con su bolso de piel marrón,
solm   dom
y sus zapatos de tacón,
Fa7   Si♭
y su vestido de domingo.
Mi♭   Si♭ Re7

Penélope, se sienta en un banco del
solm   dom
         [andén
y espera a que llegue el primer tren
Fa7   Si♭
meneando el abanico.
Mi♭   Si♭ Re7

Dicen en el pueblo
Sol   Re
que un caminante paró su reloj
     mim sim Do
una tarde de primavera.
Re7   Sol

Adiós, amor mío, no me llores, volveré
Sol   Re   mim sim
antes que de los sauces caigan las hojas.
Do Re7   Mi
Piensa en mí, volveré por ti.
 La   fa♯m do♯m Do♯7
Pobre infeliz, se paró su reloj infantil
rem   Mi7 do♯m
una tarde plomiza de abril
fa♯m   sim
cuando se fue tu amante.
 Do♯7   fa♯m Mi

Se marchitó, en tu huerto, hasta la
Re   Mi7   do♯m
         [última flor,
no hay ni un sauce en la calle mayor
fa♯m   sim
para Penélope.
Do♯7 La

Penélope, tristes a fuerza de esperar,
lam   rem

tus ojos parecen brillar
Sol7 Do
si un tren silba a lo lejos.
Fa   Mi7

Penélope, uno tras otro los ve pasar,
lam   rem
mira sus caras, les oye hablar,
Sol7   Do
para ella son muñecos.
Fa   Mi7

Dicen en el pueblo
La   Mi
que el caminante volvió,
 fa♯m   do♯m
la encontró en su banco de pino verde.
Re Mi7   La
La llamó Penélope, mi amante fiel,
La Mi   fa♯m
        [mi paz,
        do♯m
deja ya de tejer sueños en mi mente.
Re Mi7   Fa♯

Mírame, soy tu amor, regresé.
Si solm   re♯m Re♯7
Le sonrió, con los ojos llenitos de ayer,
Mi Fa♯7   re♯m
no era así su cara ni su piel.
solm   do♯m
Tú no eres quien yo espero.
Re♯7   solm Do♯

Y se quedó
Mi   Fa♯7
con su bolso de piel marrón
      re♯m
y sus zapatitos de tacón
solm   do♯m
sentada en la estación,
Re♯7   solm
sentada en la estación.
solm Mi Fa♯ do♯m.

Perdón

P. Flores

Perdón, vida de mi vida,
mim   **Fa#7**   **Si7**   **mim**
perdón si es que te he fallado,
   Mi7   **lam**
perdón, cariñito amado,
   Si7   **mim**
ángel adorado, dame tu perdón.
     Fa#7 Si7   **mim**

Jamás habrá quien separe,
     Fa#7   **Si7**   **mim**
amor, de tu amor el mío
   Mi7   **lam**
porque si adorarte ansío,
   Si7   **mim**
es que el amor mío pide tu perdón.
     Fa#7   **Si7**   **mim**

ESTRIBILLO
Si tú sabes que te quiero con todo el corazón
 Si7   **mim**
(si tú sabes que te quiero),
con todo el corazón, con todo el corazón,
               Si7
que tú eres el anhelo de mi única ilusión
           mim
(que tú eres mi esperanza),
de mi única ilusión, de mi única ilusión,
       Mi7

Ven, calma mis angustias con un poco de amor
          lam
(que es la dicha que se alcanza),
con un poco de amor,
que es todo lo que ansía, que es todo lo que ansía
       mim   **Si7**
(cuando ama, cuando ama),
mi pobre corazón.
   mim

ESTRIBILLO
Si tu sabes que te quiero con todo el corazón...

La peregrinación

F. Luna – A. Ramírez

A la huella, a la huella, José y María,
lam La7   rem Sol7   Do
por las pampas heladas, cardos y ortigas.
    lam   rem   Mi   lam
A la huella, a la huella, cortando campo,
    La7   rem   Sol7   Do
no hay cobijo ni fondas, sigan andando.
    lam   rem   Mi   lam

Florecita del campo, clavel del aire,
                    La7   rem   Sol7   Do
si ninguno te aloja, ¿dónde naces?
        lam   rem Mi   lam
¿Dónde naces, florecita que estás creciendo,
        La7   rem   Sol7   Do
palomita asustada, grillo sin sueño?
    lam   rem   Mi   lam

ESTRIBILLO
A la huella, a la huella, José y María,
    La7   rem Sol7 Do
como un Dios escondido... ¡Nadie sabía!
    lam   rem   Mi   lam

A la huella, a la huella, los peregrinos,
                    La7   rem   Sol7   Do
préstenme una tapera para mi niño.
    lam   rem   Mi   lam
A la huella, a la huella, soles y lunas,
    La7   rem Sol7   Do
dos ojitos de almendra, piel de aceituna.
    lam   rem   Mi   lam

¡Ay, burrito del campo, ay, buey barcino!
                    La7   rem   Sol7   Do
Mi niño esta viniendo, háganle sitio.
    lam   rem   Mi lam
Un ranchito de quincha sólo me ampara,
        La7   rem   Sol7   Do
dos alientos amigos, la luna clara.
    lam   rem   Mi   lam

ESTRIBILLO
A la huella, a la huella, José y María...

179 ♪

Perfidia

A. Domínguez

Nadie comprende lo que sufro yo
dom   fam
tanto, pues ya no puedo sollozar;
Sol   dom
solo, temblando de ansiedad estoy,
Do   fam
todos me miran y se van.
Sol   Sol7

Do lam rem Sol7

ESTRIBILLO
Mujer,
     Do lam rem
si puedes tú con Dios hablar,
  Sol7   Do   lam   rem
pregúntale si yo alguna vez
  sol7   Do   lam
te he dejado de adorar.
    rem Sol7 Mi Fa Mi

Y al mar,
    Do   lam rem
espejo de mi corazón,
  Sol7   Do   lam   rem

las veces que me ha visto llorar
  Sol7   Do   lam
la perfidia de tu amor.
  rem   Mi   Fa Mi

Te he buscado por doquiera que yo voy,
      Fa
y no te puedo hallar.
           Mi
¿Para qué quiero otros besos
      Sol
si tus labios no me quieren ya besar?
  Fa   Mi
                      [Fa Mi

Y tú,
Sol7   Do lam rem
quién sabe por dónde andarás,
  Sol7   Do   lam
quién sabe qué aventuras tendrás,
  Sol7   Do   lam
qué lejos estás de mí.
  rem   Sol7   Do

ESTRIBILLO
Mujer...

Piel canela

B. Capó

Que se quede el infinito sin estrellas,
lam   Re7   Sol   mim
o que pierda el ancho mar su inmensidad,
    lam   Re7   Sol
pero el negro de tus ojos que no muera,
    Si7   mim
piel canela que tu piel se quede igual.
   lam   Re7

Si perdiera el arco iris su belleza,
   lam   Re7   Sol   mim
y las flores su perfume y su color,
   lam   Re7   Sol
no sería tan inmensa mi tristeza,
   Si7   mim
como aquella de quedarme sin tu amor.
   lam   Re7

ESTRIBILLO
Me importas tú, y tú, y tú, y solamente tú, y tú, y tú,
  lam   Re7 lam   Re7   Sol   mim   Sol
Me importas tú, y tú, y tú, y nadie más que tú.
   mim   lam   Re7 lam   Re7   Sol

Ojos negros, piel canela, que me llegan a desesperar.
  Mi7   lam   Re7

ESTRIBILLO
Me importas tú, y tú, y tú...

El pobre Miguel

Popular

Cuando voy caminando por la plaza
La   **Mi7**
me preguntan si he visto a Miguel
   sim   **Mi7**   **La**
[Canales. (2)
Él dice que es feliz en la montaña,
         Fa♯7   **sim**
que hace mucho tiempo que no sale. (2)
   Mi7   **La**

ESTRIBILLO
¡Ay! Qué le estará pasando al pobre
       sim
[Miguel
que hace mucho tiempo que no sale.
   Mi7   **La**
Qué le estará pasando al pobre Miguel
     Fa♯7   **sim**
que hace mucho tiempo que no sale.
   Mi7   **La**
La, lara lai la, la, lara lai la. (2)
   La   **Mi7**   **sim Mi7 La**

Me dicen, me dicen que Miguelito,
        Mi7
entre nosotros se encuentra muy
   sim   **Mi7**
[extraño. (2)
    La
Él dice que es feliz en la montaña,
     Fa♯7   **sim**
que se está convirtiendo en ermitaño. (2)
   Mi7   **La**

ESTRIBILLO
¡Ay! Qué le estará pasando al pobre
[Miguel... (2)

Me dicen, me dicen que Miguelito,
        Mi7
en la montaña se encuentra muy
   sim   **Mi7**
[feliz. (2)
    La
Él dice que es feliz en la montaña,
     Fa♯7   **sim**
que de allí ya no quiere más salir. (2)
   Mi7   **La**

ESTRIBILLO
¡Ay! Qué le estará pasando al pobre
[Miguel... (2)

Me dicen, me dicen que Miguelito,
        Mi7
de la montaña no quiere más salir. (2)
   sim   **Mi7**   **La**
Él dice que se hace su cafelito,
       Fa♯7   **sim**
y allí se toma él hasta su vinito. (2)
   Mi7   **La**

ESTRIBILLO
¡Ay! Qué le estará pasando al pobre
[Miguel... (2)

Pongamos que hablo de Madrid

J. Sabina – A. Sánchez

Allá donde se cruzan los caminos,
Mi   mim   Mi
donde el mar no se puede concebir,
                      fa♯m
donde regresa siempre el fugitivo,
La   sol♯m   fa♯m
pongamos que hablo de Madrid.
           Si   La
                [lam La

Donde el deseo viaja en ascensores,
Mi   mim   Mi
un agujero queda para mí,
              fa♯m
que me dejo la vida en sus rincones,
La   sol♯m   fa♯m
pongamos que hablo de Madrid.
           Si   La
                [lam La

Las niñas ya no quieren ser princesas
Mi   mim   Mi
y a los niños les da por perseguir
               fa♯m
el mar dentro de un vaso de ginebra,
La   sol♯m   fa♯m
pongamos que hablo de Madrid.
           Si   La
                [lam La

Los pájaros visitan al psiquiatra,
Mi   mim   Mi
las estrellas se olvidan de salir,
              fa♯m
la muerte pasa en ambulancias
La   sol♯m
              [blancas,
                fa♯m
pongamos que hablo de Madrid.
           Si   La
                [lam La

El sol es una estufa de butano,
Mi   mim   Mi
la vida, un metro a punto de partir,
                   fa♯m
hay una jeringuilla en el lavabo,
La   sol♯m   fa♯m
pongamos que hablo de Madrid.
             Si   La
                [lam La

Cuando la muerte venga a visitarme
Mi   mim   Mi
que a mí me lleven al sur donde nací,
                   fa♯m
aquí no queda sitio para nadie,
La   sol♯m   fa♯m
pongamos que hablo de Madrid.
             Si   La
                [lam La

De Madrid,
de Madrid,
de Madrid.

Porompompero

M. Escobar

ESTRIBILLO
Poropopo,
lam

poropo, porompompero, pero,
Sol

poropo, porompompero, pero,
Fa

poropo, porompompo. (2)
Mi

El trigo, entre toas las flores,
lam

ha escogido a la amapola,
Mi

y yo escojo a mi Dolores,
Dolores, Lolita, Lola.
lam

ESTRIBILLO
Poropopo... (2)

Y yo, y yo, escojo a mi Dolores,
Sol

que es la, que es la flor más perfumada,
Fa

Dolo, Dolores, Lolita, Lola.
Mi

ESTRIBILLO
Poropopo... (2)

El cateto de tu hermano,
lam

que no me venga con leyes,
Mi

que, payo, yo soy gitano,
que tengo sangre de reyes,
lam

que pa, que, payo, yo soy gitano,
que te, que tengo sangre de reyes
en la palma de la mano.

El preso número nueve

Hnos. Cantoral

Al preso número nueve ya lo van a confesar,
lam   Mi   lam   Sol Fa Mi
está rezando en la celda, con el cura del penal.
lam   Mi   lam   Sol Fa Mi
Porque antes de amanecer, la vida le han de quitar,
            Mi7   lam
porque mató a su mujer y a un amigo desleal.
           Sol   Fa   Mi

Dice así al confesar:
     Mi7   lam
Los maté, sí señor,
        Sol
y si vuelvo a nacer,
        Fa
yo los vuelvo a matar.
        Mi

ESTRIBILLO
Padre, no me arrepiento,
rem
  ni me da miedo la eternidad,
            lam
  yo sé que allá en el cielo el ser supremo me ha de juzgar,
                            Mi
  voy a seguir sus pasos, voy a buscarlos al más allá.
                    rem Mi   lam

El preso número nueve era un hombre muy cabal.
lam   Mi   lam   Sol   Fa   Mi
Iba la noche del duelo muy contento a su jacal.
lam   Mi   lam   Sol   Fa   Mi
Pero al mirar a su amor en brazos de su rival,
            Mi7   lam
sintió en su pecho el rencor y no se pudo aguantar.
         Sol   Fa   Mi

Al sonar el clarín,
    Mi7   lam
se formó el pelotón,
        Sol
y rumbo al paredón,
        Fa
se oyó al preso decir:
        Mi

ESTRIBILLO
Padre, no me arrepiento...

185

La puerta

L. Demetrio

ESTRIBILLO
La puerta se cerró detrás de ti
Fa   **solm**   **Do7**
y nunca más volviste a aparecer,
     lam   **Re7**
dejaste abandonada la ilusión
     solm
que había en mi corazón por ti.
  Do7   **Fa**

La puerta se cerró detrás de ti
    solm   **Do7**
y así detrás de ti se fue mi amor
     lam   **Re7**
creyendo que podría convencer
        solm
a tu alma de mi padecer.
  Do7   **Fa**

Pero es que no supiste soportar
          dom
las penas que nos dio
     Fa
la misma adversidad,
  Si♭   **si♭m**
así como también
nos dio felicidad,
   solm
nos vino a castigar con el dolor.
  Do7   **solm** **Do7**

ESTRIBILLO
La puerta se cerró detrás de ti...

Pero es que no supiste soportar
          dom
las penas que nos dio
     Fa
la misma adversidad,
  Si♭   **si♭m**
así como también
nos dio felicidad,
   solm
nos vino a castigar con el dolor.
  Do7   **solm** **Do7**

ESTRIBILLO
La puerta se cerró detrás de ti...

Que canten los niños

J. L. Perales

ESTRIBILLO 1
Que canten los niños,
Do
que alcen la voz,
Fa
que hagan al mundo escuchar.
Sol   **Do**
Que unan sus voces
lam
y lleguen al sol,
Fa
en ellos está la verdad.
rem   **Sol**

ESTRIBILLO 2
Que canten los niños,
Do
que viven en paz,
Fa
y aquellos que sufren dolor.
Sol   **Do**
Que canten por esos
lam
que no cantarán
Fa
porque han apagado su voz.
rem   **Sol**

Yo canto para que me dejen vivir.
Do   **lam**
Yo canto para que sonría mamá.
Do   **lam**
Yo canto para que sea el cielo azul
Sol   **Do**
y yo para que no me ensucien el mar.
Fa   **Sol**

Yo canto para los que no tienen pan.
Do   **lam**
Yo canto para que respeten la flor.
Do   **lam**

Yo canto porque el mundo sea feliz.
Sol   **Do**
Yo canto para no escuchar el cañón.
Fa   **Sol**

ESTRIBILLO 1
Que canten los niños...

ESTRIBILLO 2
Que canten los niños...

Yo canto porque sea verde el jardín
Do   **lam**
y yo para que no me apaguen el sol.
Do   **lam**
Yo canto por el que no sabe escribir
Sol   **Do**
y yo por el que escribe versos de amor.
Fa   **Sol**

ESTRIBILLO 1
Que canten los niños...

ESTRIBILLO 2
Que canten los niños...

Yo canto para que se escuche mi voz
Do   **lam**
y yo para ver si les hago pensar.
Do   **lam**
Yo canto porque quiero un mundo feliz
Sol   **Do**
y yo por si alguien me quiere escuchar.
Fa   **Sol**

ESTRIBILLO 1
Que canten los niños...

ESTRIBILLO 2
Que canten los niños...

Que nadie sepa mi sufrir

A. Cabral – E. Dizeo

No te asombres si te digo lo que fuiste,
lam   **La7**   **rem**
una ingrata con mi pobre corazón,
Sol7   **Do**
porque el fuego de tus lindos ojos
Mi7

[negros
lam
ha alumbrado el camino de otro amor.
Fa   **Si7**   **Mi7**

ESTRIBILLO
Y pensar que te adoraba tiernamente,
lam   **La7**   **rem**
que a tu lado como nunca me sentí
Sol7   **Do**
y por esas cosas raras de la vida
Mi7   **Do**
sin el beso de tu boca yo me vi.
Fa   **Mi7**   **lam**

Amor de mis amores,
Sol
reina mía, qué me hiciste,
Sol7   **Do**
que no puedo consolarme
Sol7
sin poderte contemplar.
Do

Ya que pagaste mal
Mi7
a mi cariño tan sincero,
lam
lo que conseguirá
Fa
que no te nombre nunca más.
Si7   **Mi7**

Amor de mis amores,
Sol
si dejaste de quererme
Sol7   **Do**
no hay cuidado, que la gente
Sol7
de eso no se enterará.
Do

Qué gano con decir
Sol
que una mujer cambió mi suerte,
Sol7   **Do**
se burlarán de mí,
Sol7
que nadie sepa mi sufrir.
Do

ESTRIBILLO
Y pensar que te adoraba tiernamente...

Quién será

P. Beltrán

ESTRIBILLO
Quién será la que me quiera a mí,
mim   **Si7**
quién será, quién será,
                mim
quién será la que me dé su amor,
                        Do7   Si7
quién será, quién será.
Do7   Si7 mim

Yo no sé si la podré encontrar,
                        Si7
yo no sé, yo no sé.
            mim
Yo no sé si volveré a querer,
                        Do7   Si7
yo no sé, yo no sé.
Do7   Si7 mim

He querido volver a vivir
                        Re7
la pasión y el calor de otro amor,
                    Sol
de otro amor que me hiciera sentir,
                            Si7
que me hiciera feliz como ayer lo fui.
                    mim   Do7 Si7 mim

ESTRIBILLO
Quién será la que me quiera a mí...

Quisiera ser

Guijarro – De la Calva – Arcusa

Quisiera ser el eco de tu voz,
       Re   fa#m   sim   fa#m
para poder estar cerca de ti.
      Re   Si   mim
Quisiera ser tu alegre corazón,
         Sol   La
para saber qué sientes tú por mí.
    Sol   La   Re

Quisiera ser un águila real,
         fa#m   sim   fa#m
para poder volar cerca del sol
     Re Si   mim
y conseguirte las estrellas y la luna
       Sol   Re
y ponerlas a tus pies, con mi amor.
        Si   La   Re

Quisiera ser un pobre ruiseñor,
    fa#m   sim   fa#m
para poder cantar cerca de ti,
     Re   Si   mim
quisiera ser la más bella canción
         Sol   La
para poder hacerte muy feliz.
    Sol   La   Re

Quisiera ser aurora boreal
    fa#m   sim   fa#m
y darte así un mundo de color
    Re   sim   mim
y conseguirte las estrellas y la luna
       Sol   Re
y ponerlas a tus pies con mi amor.
       Si   La   Re

...y conseguirte...
...las estrellas...
     La
...y ponerlas a tus pies...
  Re   Si7

Quisiera ser tu gran amor,
    Re   fa#m
quisiera ser tu gran amor.
    Re   Sol La Re

Recuerdos de Ypacaraí

D. Ortiz

Una noche tibia nos conocimos,
      Sol
junto al lago azul de Ypacaraí.
        Re7
Tú cantabas triste por el camino,
viejas melodías en guaraní.
    lam7   **Re7** **Sol**

Y con el embrujo de tus canciones,
iba ya naciendo tu amor en mí.
   Sol7   **Do**
En la noche hermosa de plenilunio
       Fa7   **Sol**
de tus blancas manos sentí el calor,
      Sol7   **Do**
que con tus caricias me dio el amor.
   Re7   **Sol** **Sol7**

Dónde estás ahora, cuñataí,
     Do   **Fa7**
que tu suave canto no llega a mí.
     Sol   **sim7**
Dónde estás ahora,
   lam7
mi ser te añora con frenesí.
  Re7   **Sol** **Sol7**

Todo te recuerda mi dulce amor,
   Do   **Fa7**
junto al lago azul de Ypacaraí,
   Sol   **sim7**
todo te recuerda,
  lam7
mi ser te llama, cuñataí.
 Re7   **Sol**

El reloj

R. Cantoral

Reloj, no marques las horas,
Do   lam   rem Sol7

porque voy a enloquecer,
Do   lam   rem Sol7

ella se irá para siempre
Do   lam   rem Sol7

cuando amanezca otra vez.
Do   lam   rem Sol7

No más nos queda esta noche,
Do   lam   rem   Sol7

para vivir nuestro amor.
Do   lam   rem Sol7

Y su tic tac me recuerda
Do   lam   rem   Sol7

mi irremediable dolor.
Do   lam   rem Sol7

Reloj, detén tu camino,
Do   lam   mim

porque mi vida se apaga,
Fa   Do La7

ella es la estrella que alumbra mi ser,
rem   Sol7   Do   lam   rem

yo sin su amor no soy nada.
Sol7   Do lam rem   Sol7

Detén el tiempo en tus manos,
Do   lam   rem   Sol7

haz esta noche perpetua,
Do   lam   rem Sol7

para que nunca se vaya de mí,
Do   lam   rem Sol7

para que nunca amanezca.
Do   lam rem   Sol7

El rey

J. A. Jiménez

Yo se bien que estoy afuera,
La

pero el día en que me muera,
sé que tendrás que llorar.
sim   **Mi7**

Llorar, llorar, llorar y llorar.
Dirás que no me quisiste,
pero vas a estar muy triste,
y así te vas a quedar.
           La

ESTRIBILLO
Con dinero y sin dinero,
           Re

hago siempre lo que quiero,
y mi palabra es la ley.
     Si7   **Mi7**

No tengo trono ni reina,
sim   **Mi7**

ni nadie que me comprenda,
    sim   **Mi7**

pero sigo siendo el rey.
    sim   **Mi7**   **La**

Una piedra en el camino,
         La

me enseñó que mi destino
era rodar y rodar.
   sim   **Mi7**

Rodar, rodar, rodar y rodar.
Después me dijo un arriero,
que no hay que llegar primero,
pero hay que saber llegar.
           La

ESTRIBILLO
Con dinero y sin dinero...

Sabor a mí

A. Carrillo

Tanto tiempo disfrutamos de este amor,
Sol7   Do   Fa7
nuestras almas se acercaron tanto así,
                Sol
que yo guardo tu sabor,
     sim   lam7
pero tú llevas también sabor a mí.
             Re7   Sol

Si negaras mi presencia en tu vivir,
  Sol7   Do   Fa7
bastaría con abrazarte y conversar,
              Sol
tanta vida yo te di,
  sim   lam7
que por fuerza tienes ya sabor a mí.
      Re7   Sol Fa7 Sol

No pretendo ser tu dueño,
rem7 Sol7 rem7 Sol7
no soy nada, yo no tengo vanidad.
        Do   rem7   Do
De mi vida doy lo bueno,
mim7 La7   mim7 La7
soy tan pobre qué otra cosa puedo dar.
     Re7   lam7   Re7

Pasarán más de mil años, muchos más,
   Sol7   Do   Fa7
y no se si tendrá amor la eternidad,
              Sol
pero allá tal como aquí,
  sim   lam7
en la boca llevarás sabor a mí.
    Re7   Sol

♩ 194

El sagrado nacimiento

Popular

Atención a mis coplicas
Fa   Do   Fa

porque voy con gran contento a cantarlas
          Sol   Fa

a las banzas del sagrado nacimiento
Do   Fa   Do   Fa

a caballo de un jumento:
   Do   Fa

La Virgen a Belén marcha
       Do   Fa

y san José va delante
      Do   Fa

pisando nieve y escarcha,
      Do   Fa

pisando nieve y escarcha.
      Do   Fa

A caballo de un jumento
      Do   Fa

la Virgen a Belén marcha
      Do   Fa

y san José va delante
      Do   Fa

pisando nieve y escarcha,
      Do   Fa

pisando nieve y escarcha.
      Do   Fa

Santa Bárbara

Popular

Santa Bárbara bendita,
lam
trai lara la ra, trai la ra. (2)
Mi7   **lam**

Patrona de los mineros,
Sol
mira, mira maruxina, mira,
Fa
mira cómo vengo yo.
Mi7
Patrona de los mineros,
Do   **Sol**
mira, mira maruxina, mira,
Fa
mira cómo vengo yo.
Mi7   **lam**

Traigo la cabeza rota,
trai lara la ra, trai la ra.
Mi7   **lam**

Que me la rompió un costero,
Sol
mira, mira maruxina, mira,
Fa
mira cómo vengo yo.
Mi7
Que me la rompió un costero,
Do   **Sol**
mira, mira maruxina, mira,
Fa
mira cómo vengo yo.
Mi7   **lam**

Traigo la camisa roja,
trai lara la ra, trai la ra. (2)
Mi7   **lam**

De sangre de un compañero,
Sol
mira, mira maruxina, mira,
Fa
mira cómo vengo yo.
Mi7
De sangre de un compañero,
Do   **Sol**
mira, mira maruxina, mira,
Fa
mira cómo vengo yo.
Mi7   **lam**

En el pozo María Luisa,
trai lara la ra, trai la ra. (2)
Mi7   **lam**

Murieron cuatro mineros,
Sol
mira, mira maruxina, mira,
Fa
mira cómo vengo yo.
Mi7
Murieron cuatro mineros,
Do   **Sol**
mira, mira maruxina, mira,
Fa
mira cómo vengo yo.
Mi7   **lam**

Sapo cancionero

R. Cantoral

Sapo de la noche, sapo cancionero
      Sol   **Iam**

que vives soñando junto a tu laguna,
      Re   **Sol**

tenor de los charcos, grotesco trovero,
                Iam

que estás embrujado de amor por la luna. (2)
      Re   **Sol**

Yo sé de tu vida, sin gloria ninguna,
      Sol   **Iam**

sé de la tragedia, de tu alma inquieta,
      Re   **Sol**

y sé de tu locura de amor a la luna,
             Iam

que es locura eterna de todo poeta. (2)
      Re   **Sol**

Sapo cancionero, canta tu canción,
      Iam   **Re**   **Sol**

que la vida es triste si no la vivimos con una ilusión.
      Iam   **Re**   **Sol**

Tú te sabes feo, feo y contrahecho,
      Sol   **Iam**

por eso de día tu fealdad ocultas,
      Re   **Sol**

y de noche cantas tu melancolía,
             Iam

y suena tu canto como letanía.
      Re   **Sol**

Repican tus voces en franca porfía,
      Sol   **Iam**

tus coplas son vanas, como son tan bellas,
      Re   **Sol**

no sabes acaso que la luna es fría,
             Iam

porque dio su sangre para las estrellas. (2)
      Re   **Sol**

Siete vidas

Popular

Cuatro años de felicidad intercalada,
Do   Sol   lam
cuatro años de desconfiadas miradas.
Do   Sol   lam
Y una historia de amor interrumpida,
Fa   Do   rem
maldita sea, maldita sea mi vida.
Fa   Do rem   Sol

Y una nacida entre sus manos
Do   Sol   lam
y sus púas mi sangre han derramado,
Do   Sol   lam
sangre que brota del fondo del corazón,
Fa   Do   rem
maldita sea, qué pasó con mi corazón.
Fa   Do   rem   Sol

Tranquila, mi vida,
Do   Sol
he roto con el pasado.
   Fa
Mil caricias pa' decirte
mim
que siete vidas tiene un gato,
    lam
seis vidas ya he quemado
   Fa
y esta última la quiero vivir a tu lado.
    Sol   Do
Oh, oh, oh...
Sol   lam mim Fa Sol

Y ahora me encuentro en medio de este lago
Do   Sol   lam
con los pelos de punta, recuerdos del pasado,
Do   Sol   lam
con la frente arrugada, mirando la explanada,
Fa   Do   rem
pensando en ella, que me dio todo por nada.
Fa   Do   rem   Sol

Sin miedo

Rosana

Sin miedo sientes que la suerte esta
La
[contigo,
Si
jugando con los duendes, abrigándote
sol♯m
[el camino,
do♯m
haciendo a cada paso lo mejor de lo
La
[vivido,
Si
mejor vivir sin miedo.
Mi

Sin miedo, lo malo se nos va volviendo
Mi
[bueno,
do♯m
las calles se confunden con el cielo
La
y nos hacemos aves, sobrevolando el
Fa♯   Si
[suelo, así,
sin miedo, si quieres las estrellas
Mi
[vuelco el cielo,
do♯m
no hay sueños imposibles ni tan lejos.
La

Si somos como niños,
Fa♯
sin miedo a la locura, sin miedo a
La   Si
[sonreír,

sin miedo sientes que la suerte está
La
[contigo...
Si

Sin miedo, las olas se acarician con
Mi
[el fuego,
do♯m
si alzamos bien las yemas de los dedos
La
podemos de puntillas tocar el universo,
Fa♯   Si
[así,
sin miedo, las manos se nos llenan de
Mi
[deseos
do♯m
que no son imposibles ni están lejos.
La
Si somos como niños.
Fa♯

Sin miedo a la locura, sin miedo a
La   Si
[sonreír,
sin miedo sientes que la suerte esta
La
[contigo...
Si
lo malo se nos va volviendo bueno,
do♯m
si quieres las estrellas vuelco el cielo,
La
sin miedo a la locura, sin miedo a
Si
[sonreír.

La sirena

Popular

Cuando mi barco navega
lam
por las llanuras del mar,
Mi
pongo atención, por si escucho,
a una sirena cantar...
lam

Dicen que murió de amores,
lam
quien su canción escuchó;
Mi
yo doy gustoso la vida,
siempre que fuera de amor.
lam

Corre, vuela,
lam
corta la olas del mar,
Mi
¡quién pudiera
a una sirena encontrar! (2)
lam

Si tú me dices ven

A. Gil

Si tú me dices ven, lo dejo todo,
lam La7   rem

si tú me dices ven, será todo para ti,
Sol7   Do

mis momentos más ocultos también te los daré,
Fa   Mi7

mis secretos que son pocos serán tuyos también.
Fa   Mi7

Si tú me dices ven, todo cambiará,
rem Sol7   Do

si tú me dices ven, habrá felicidad,
Fa   Mi7   lam

si tú me dices ven, si tú me dices ven.
Mi7   lam

No detengas el momento por las indecisiones,
lam   La7   rem

para unir alma con alma, corazón con corazón,
Sol7   Do

reír contigo ante cualquier dolor,
lam   La7   rem

llorar contigo, llorar contigo será mi salvación.
lam   Si7   Mi7   lam

Pero sí tú me dices ven, lo dejo todo,
lam La7   rem

que no se te haga tarde, y te encuentres en la calle, perdida,
Sol7   Do

sin rumbo y en el lodo.
La7 rem   Mi7   lam

Si tú me dices ven, lo dejo todo.
Si7 Mi7   lam

Si vas a Calatayud

S. Valverde – R. Zarzoso

Porque era amiga de hacer favores,
La   Mi7
porque fue alegre en su juventud,
                    La
en coplas se vio la Dolores,
lam   Mi7
la flor de Calatayud.
lam

Y una coplilla recorrió España,
Sol7   Do
pregón de infamia de una mujer.
Fa   Mi
Pero el buen nombre de aquella maña,
Mi7   lam
yo tengo que defender.
rem   Fa   Mi

RECITADO
La Dolores de la copla,
me dijo un día mi padre,
fue alegre, pero fue buena,
fue mi mujer, fue tu madre.

Si vas a Calatayud,
Mi7   La
si vas a Calatayud,
sim   Mi7
pregunta por la Dolores,
La
que una copla la mató (y en ofrenda
Mi7
                    [de mi amor),
de vergüenza y sinsabores (en su
La
                    [tumba ponle flores).
Di que te lo digo yo (ve que te lo pido
Mi7

                    [yo),
el hijo de la Dolores.
La

Dice la gente de mala lengua,
La   Mi7
que por tu calle me ven rondar:
La
¿Tú sabes su madre quién era?
lam   Mi7
Dolores, la del cantar.
lam

Yo la quería con amor bueno,
Sol7   Do
mas la calumnia la avergonzó.
Fa   Mi
Y no supo limpiarse el cieno,
Mi7   lam
que la maldad le arrojó.
rem   Fa   Mi

RECITADO
Copla que vas dando muerte,
con el alma te maldigo,
fuiste dolor de mi madre,
pero no podrás conmigo

Si vas a Calatayud,
Mi7   La
si vas a Calatayud,
sim   Mi7
pregunta por la Dolores,
La
y en ofrenda de mi amor
Mi7
en su tumba ponle flores.
La
Ve que te lo pido yo,
Mi7
el hijo de la Dolores.
La

Solamente una vez

A. Lara

Solamente una vez amé en la vida,
Do   do♯m   Sol7

solamente una vez y nada más.
rem Sol7

Una vez nada más en mi pecho brilló la esperanza,
do♯m   rem7 Sol7

la esperanza que alumbra el camino de mi soledad.
Sol7   Do   do♯m

Solamente una vez se entrega el alma
Sol7   Do   do♯m   Sol7

con la dulce y total renunciación,
rem Sol7   Do

y cuando ese milagro realiza el prodigio de amarse
do♯m   Sol7

hay campanas de fiesta que cantan en el corazón.
rem   Sol7   Do

Soldadito boliviano

N. Guillén – P. Ibáñez

ESTRIBILLO
Soldadito de Bolivia,
Do   **Fa**
soldadito boliviano,
Sol   **Do**
armado vas de tu rifle,
Do7
que es un rifle americano,
      Fa
que es un rifle americano,
      Sol
soldadito de Bolivia,
        Fa
que es un rifle americano.
      Sol   **Do**

Te lo dio el señor Barrientos,
Do   **Fa**
soldadito boliviano,
Sol   **Do**
regalo de míster Johnson
Do7
para matar a tu hermano,
      Fa
para matar a tu hermano,
      Sol
soldadito de Bolivia,
        Fa
para matar a tu hermano.
      Sol   **Do**

ESTRIBILLO
Soldadito de Bolivia...

No sabes quién es el muerto,
Do   **Fa**
soldadito boliviano,
Sol   **Do**

el muerto es el Che Guevara,
Do7
que era argentino y cubano,
      Fa
que era argentino y cubano,
      Sol
soldadito boliviano,
        Fa
que era argentino y cubano.
      Sol   **Do**

ESTRIBILLO
Soldadito de Bolivia...

Él fue tu mejor amigo,
Do   **Fa**
soldadito boliviano,
Sol   **Do**
él fue tu amigo, del pobre,
      Do7
del oriental altiplano,
      Fa
del oriental altiplano,
      Sol
soldadito de Bolivia,
        Fa
del oriental altiplano.
      Sol   **Do**

ESTRIBILLO
Soldadito de Bolivia...

Está mi guitarra entera,
Do   **Fa**
soldadito boliviano,
Sol   **Do**
de luto, pero no llora,
      Do7

aunque llo<u>rar</u> es humano,
Fa
aunque llo<u>rar</u> es humano,
Sol
soldadito de Boli<u>via</u>,
Fa
aunque llo<u>rar</u> es huma<u>no</u>.
Sol   **Do**

ESTRIBILLO
Soldadito de Bolivia...

<u>No</u> llora porque la <u>ho</u>ra,
Do   **Fa**
<u>so</u>ldadito bol<u>iv</u>iano,
Sol   **Do**
no e<u>s d</u>e lágrima y pañuelo,
Do7
sino de ma<u>che</u>te en mano,
Fa
sino de ma<u>che</u>te en mano,
Sol
soldadito de Boli<u>via</u>,
Fa
sino de ma<u>che</u>te en ma<u>no</u>.
Sol   **Do**

ESTRIBILLO
Soldadito de Bolivia...

<u>Con</u> el cobre que te pa<u>ga</u>,
Do   **Fa**
<u>so</u>ldadito bol<u>iv</u>iano,
Sol   **Do**
que t<u>e v</u>endes, que te compra,
Do7
es lo que pi<u>en</u>sa el tirano,
Fa
es lo que pi<u>en</u>sa el tirano,
Sol
soldadito de Boli<u>via</u>,
Fa
es lo que pi<u>en</u>sa el tira<u>no</u>.
Sol   **Do**

ESTRIBILLO
Soldadito de Bolivia..

<u>Pe</u>ro aprenderás se<u>gu</u>ro,
Do   **Fa**
<u>so</u>ldadito bol<u>iv</u>iano,
Sol   **Do**
que <u>a u</u>n hermano no se mata,
Do7
que no se ma<u>ta</u> a un hermano,
Sol
soldadito de Boli<u>via</u>,
Fa
que no se mata <u>a u</u>n herma<u>no</u>.
Sol   **Do**

Sólo con un beso

Popular

Juré que no iba a verte, mucho menos enloquecerme,
      Do   lam

pero no sé qué has hecho en mí, es tu veneno que lentamente
    Fa   Sol   Sol7

se apodera de mis deseos y me ahogan todos tus besos.
          Do   lam

No puedo hablar, sólo sentir cómo estremeces todo mi cuerpo,
           Fa   Sol

y tú bien sabes que no fui yo, no es culpable la situación,
     lam   mim

que quede claro por este beso que sólo eres tú, solamente tú,
    lam   Fa   Sol Sol7

la que con dulzura entiende mis palabras y ama mi locura,
       Do   lam

la que me domina con una sonrisa pintada en sus labios,
   Fa   Sol   Sol7

la que me da todo sin pedirle nada, sólo que la ame,
    Do   lam

la que en el silencio logra todo en mí, sólo con un beso.
    Fa   Sol Sol7

Quisiera vestir tu cuerpo de caricias que llevo dentro
     Do   lam

y disfrutar un poco más hasta perderme por un momento,
    Fa

y tú bien sabes que no fui yo, no es culpable la situación,
 Sol   Sol7

que quede claro por este beso que sólo eres tú, solamente tú,
   Do   lam

la que con dulzura entiende mis palabras y ama mi locura,
   Fa   Sol   Sol7

la que me domina con una sonrisa pintada en sus labios,
   Do   lam

la que me da todo sin pedirle nada, sólo que la ame,
  Do   lam

la que en el silencio logra todo en mí, sólo con un beso.
   Fa   Sol Sol7

Sólo le pido a Dios

Gieco

ESTRIBILLO

Sólo le pido a Dios
Re   La   sim

que la guerra no me sea indiferente,
Sol   Re   mim

es un monstruo grande y pisa fuerte
Re   La   Sol

toda la pobre inocencia
   mim   fa♯m

de la gente.
   sim   La

Sólo le pido a Dios
Re   La   sim

que el dolor no me sea indiferente.
Sol   Re   mim

que la reseca muerte no me encuentre
Re   La   Sol

vacía y sola sin haber hecho
   mim   fa♯m

lo suficiente. (2)
      sim   La

Sólo le pido a Dios
Re   La   sim

que lo injusto no me sea indiferente,
Sol   Re   mim

que no me abofeteen la otra mejilla,
Re   La   Sol

después que una garra
      mim   fa♯m

me arañó esta suerte.
         sim   La

Sólo le pido a Dios
Re   La   sim

que lo injusto no me sea indiferente,
Sol   Re   mim

si un traidor puede más que unos
Re   La

                              [cuantos,
                                Sol

que esos cuantos no lo olviden
     mim   fa♯m

fácilmente. (2)
   sim   La

Sólo le pido a Dios
Re   La   sim

que el futuro no me sea indiferente,
Sol   Re   mim

desahuciado está
Re   La   Sol

el que tiene que marcharse
    mim   fa♯m

a vivir una cultura diferente.
                 sim   La

ESTRIBILLO

Sólo le pido a Dios... (2)

207 ♩

Somos

M. Clavell

Después que nos besamos con el alma y con la vida,
Re7   **solm**   **rem**

te fuiste con la noche de aquella despedida.
   La7   **rem**

Y yo sentí que al irte mi pecho sollozaba
Re7   **solm**   **rem**

la confidencia triste de nuestro amor así:
   Mi7   **La7**

Somos un sueño imposible que busca la noche,
rem   **La7**

para olvidarse del tiempo del mundo y de todo,
solm   **La7** **rem**

somos en nuestra quimera doliente y querida
         solm

dos hojas que el viento juntó en el otoño.
   Mi7   **solm** **La7** **solm** **La7**

Somos dos seres en uno que amando se mueren,
rem   **La7**

para guardar en secreto lo mucho que quieren,
solm   **La7** **rem**

pero qué importa la vida con esta separación,
   La7   **rem** **Re7**

somos dos gotas de llanto en una canción.
solm   **La7**   **rem**

Nada más, eso somos,
   solm **La7**

nada máááááááááás.
 rem solm La7 rem

Sueño su boca

Raúl

Paso firme y elegante,
Mi   Do
la mirada interesante,
van temblando las aceras
    Mi
al pasar de sus caderas,
yo la observo cada día
    Do
cuando cruza por mi calle,
y construyo fantasías
   Mi
de locuras y de amantes,
y yo no puedo entender
  Fa   lam
qué me pasa con esa mujer.
    Fa   Sol

ESTRIBILLO 1
Hace tanto que sueño su boca,
    Do   Sol
que la vida se me ha vuelto loca,
   rem   lam
cada noche imagino sus besos,
   Do   Sol
pero despierto y la vuelvo a perder.
    Fa   Sol

ESTRIBILLO 2
Hace tanto que vivo por ella,
  Do   Sol

hace tanto que muero sin ella,
   rem   lam
pero sé que aunque sea en mi sueño,
    Do   Sol
yo seré dueño de su alma y su piel.
    Fa   Mi

Hace un año que se me ha ido,
    Do
que soy parte de su olvido,
que la quiero en la distancia
    Mi
y alimento la esperanza
de volver al lado suyo
   Do
y no volver a separarnos,
pero a veces el orgullo
   Mi
ciega a los enamorados,
y yo no puedo entender
  Fa   lam
qué me pasa con esa mujer.
   Fa   Sol

ESTRIBILLO 1
Hace tanto que sueño su boca...

ESTRIBILLO 2
Hace tanto que vivo por ella...

209 ♩

Susanita

E. Aragón

ESTRIBILLO
Susanita tiene un ratón,
Do

un ratón chiquitín,
Sol

que come chocolate y turrón
lam   mim

y bolitas de anís.
Fa   Sol

Duerme cerca del radiador,
Do

con la almohada en los pies,
Sol

y sueña que es un gran campeón
lam   mim

jugando al ajedrez.
Fa   Sol

ESTRIBILLO
Susanita tiene un ratón...

Le gusta el fútbol, el cine y el teatro,
Do

bailar tango, rock'n'roll,
Sol

y si miramos,
fam

si nota que observamos,
mim

siempre nos canta esta canción:
Fa   Sol

ESTRIBILLO
Susanita tiene un ratón...

El tamborilero

Popular

El camino que lleva a Belén
Mi   **La**   **Mi**
baja hasta el valle que la nieve cubrió,
           La   **Mi**
los pastorcillos quieren ver a su Rey,
Si7
le traen regalos en su humilde zurrón,
    Mi   **Mi7**   **La**
al Redentor, al Redentor.
    Mi   **Si7**
Ha nacido en el portal de Belén
   Mi   **La**   **Mi**
el niño Dios. (4)
     Si7   **Mi La Mi**

Yo quisiera poner a tus pies
Mi   **La**   **Mi**
algún presente que te agrade, Señor,
          La   **Mi**
mas tú ya sabes que soy pobre también
    Mi   **Mi7**   **La**
y no poseo más que un viejo tambor,
   Mi   **La**
en tu honor frente al portal tocaré
  Mi   **La**   **Mi**
con mi tambor. (4)
    Si7   **Mi La Mi**

El camino que lleva a Belén
Mi   **La**   **Mi**
yo voy marcando con mi viejo tambor,
           La   **Mi**
nada mejor que yo te pueda ofrecer,
Si7
su ronco acento es un canto de amor
    Mi   **Mi7**   **La**
al Redentor, al Redentor.
    Mi   **Si7**
Cuando Dios me vio tocando ante Él,
   Mi   **La**   **Mi**
me sonrió.
   Si7   **Mi La Mi**

Te doy una canción

S. Rodríguez

Fa si♭m Fa si♭m

Cómo gasto papeles recordándote,
Fa   si♭m   Fa
cómo me haces hablar en el silencio,
         lam   Si♭
cómo no te me quitas de las ganas
         Sol7   Fa
aunque nadie me vea nunca contigo,
                              Do
                                          [rem
y cómo pasa el tiempo,
Do   Fa
que de pronto son años,
Do   Fa
sin pasar tú por mí, detenida.
rem   Sol7   Do   Do7

Te doy una canción si abro una puerta
                    Fa   rem
y de las sombras sales tú,
         lam   La
te doy una canción de madrugada
                    rem   Si♭
cuando más quiero tu luz.
         Sol7   Do   Do7

Te doy una canción cuando apareces
                    Fa   rem
el misterio del amor,
lam   La
y si no apareces, no me importa,
rem   Si♭
yo te doy una canción.
   Sol7   Do   Do7

Fa Fa7 Fa si♭m Fa

Si miro un poco afuera me detengo,
Fa   si♭m   Fa
la ciudad se derrumba y yo cantando,
         lam   Si♭
la gente que me odia y que me quiere
                    Sol7   Fa
no me va a perdonar que me distraiga,
                    Do
                                          [rem
creen que lo digo todo,
Do   Fa
que me juego la vida
Do   Fa
porque no te conocen ni te sienten.
sim   Sol7   Do
                                          [Do7

Te doy una canción y hago un discurso
                        Fa   rem
sobre mi derecho a hablar,
lam   La
te doy una canción con mis dos manos,
                        rem   Si♭
[con las mismas de matar.
         Sol7   Do   Do7

Te doy una canción y digo patria,
                        Fa   rem
y sigo hablando para ti,
lam   La
te doy una canción como un disparo,
                        rem   Si♭
como un libro, una palabra, una
                    Sol7   Fa
                                          [guerrilla,
                              Do   Do7
como doy el amor.
         Fa

La rem rem/Do Si♭ Do Si♭ Fa

Tómame o déjame

J. C. Calderón

Tómame o déjame,
Re   **fa♯m**
pero no me pidas que te crea
Sol   **La**

[más.
Re   **Re7**

Cuando vuelves tarde a casa
Sol   **La**
no tienes por qué inventar,
Re   **Si7**
pues tu ropa huele a leña de otro hogar.
Sol   **La**   **Re**

Tómame o déjame,
Re   **fa♯m**
si no estoy despierta déjame
Sol   **La**

[soñar.
Re   **Re7**

No me beses en la frente,
Sol   **La**
sabes que te oí llegar
Re7   **Si7**
y tu beso sabe a culpabilidad.
Sol   **La**   **Re**

ESTRIBILLO
Tú me admiras porque callo y miro
[al cielo,
porque no me ves llorar.
Sol   mim/Mi7   **La   La7**
Y te sientes cada día mas pequeño
Re   **fa♯m**   **sim**
y esquivas mi mirada en tu mirar.
Sol   **La**   **Re**

Tómame o déjame,
Re   **fa♯m**
ni te pido ni te quito libertad.
Sol   **La**   **Re   Re7**

Pero si dejas el nido,
Sol   **La**
si me vas a abandonar,
Re   **Si7**
hazlo antes de que empiece a clarear.
Sol   **La**   **Re**

ESTRIBILLO
Tú me admiras porque callo y miro...

Tómame o déjame,
Re   **fa♯m**
y si vuelves trae contigo la
Sol   **La**

[verdad,
Re   **Re7**

trae erguida la mirada,
Sol   **La**
trae contigo a mi rival.
Re   **Si7**
Si es mejor que yo, podré entonces
Sol   **La**

[llorar.
Re

El toro y la luna

Popular

La luna se estaba peinando
   rem   solm   La7
en los espejos del río.
          rem
Y un toro la está mirando,
         rem   La7
entre la jara escondido.
      rem

Cuando llega la alegre mañana,
          solm Do
y la luna se escapa del río,
        Fa solm
el torito se mete en el agua,
        La7 solm
embistiendo al ver que se ha ido.
          La7

ESTRIBILLO
Ese toro enamorado de la luna,
        Re
que abandona por las noches la maná.
      mim   La7
Es pintado de amapolas y aceituna,
    mim   La7
y le puso Campanero el mayoral.
mim La7   Re Sol La7 Re

Los romeros de los montes le besan
         [la frente,
las estrellas y luceros lo bañan de
      Re7   Sol
          [plata,
y torito que es bravío y de casta
  solm   Re
      [valiente,
     Si7
abanicos de colores parecen sus patas.
    mim   La7   rem

La luna sale esta noche,
      solm La7
con negra bata de cola,
        rem
y el toro la está esperando,
         rem La7
entre la jara y la sombra.
       rem

Y en la cara del agua del río,
         solm Do
donde duerme la luna lunera,
        Fa solm
el torito de casta bravío
       La7 solm
la vigila como un centinela.
       La7

ESTRIBILLO
Ese toro enamorado de la luna...

Los romeros de los montes le besan
         [la frente,
las estrellas y luceros lo bañan de
      Re7   Sol
          [plata,
y torito que es bravío y de casta
  solm   Re
      [valiente,
     Si7
abanicos de colores parecen sus patas.
    mim   La7   rem

Tres veces guapa

M. Laredo

Estás que arrebatas, preciosa,
lam   Mi7   lam
estás de lo más retrechera,
           Mi7   lam
estás tan bonita y graciosa
                 Sol
que luces airosa tu sal postinera,
         Fa   Mi7
estás tan soberbia y airosa,
  lam   Sol
que luces mimosa tu gracia chispera.
    Fa   Mi7   lam   rem Mi   Mi7

ESTRIBILLO
Cuando me miras, morena,
      La   Mi7   La
de adentro del alma un grito se escapa,
    Mi7   La   Si♭   Mi7
para decirte muy fuerte,
  sim   Mi7
¡Guapa, guapa y guapa!
 sim   Mi7   La Re Mi7

Y es que tu cara agarena
  La   Mi7   La
me roba la calma con gracia chulapa,
   Mi7   La   Si♭   Mi7
y te diré hasta la muerte,
   sim   Mi7
¡Guapa, guapa y guapa!
 sim   Mi7   La

Estás que da gloria mirarte,
  lam   Mi7   lam
estás que se para la gente,
        Mi7   lam
estás como para adorarte
                Sol
y luego besarte ardorosamente,
     Fa   Mi7
estás como para robarte
  lam   Sol
y lejos llevarte, estás imponente.
  Fa   Mi7   lam rem Mi   Mi7

ESTRIBILLO
Cuando me miras morena...

La tuna llegó

Popular

Va cayendo ya la noche en la ciudad
La
y se acerca el murmullo de la tuna,
sim   Mi7
pandereta va marcando ya el compás,
sim   Mi7
y un revuelo de guitarras y bandurrias.
sim   Mi7   La

Las mujeres todas loquitas ya,
al sentir que bajo su balcón pasamos,
La7   Re
y celosas, temerosas, temblorosas,
La
se les hace el culo gaseosa
Fa♯   sim
ante aquesta donosura que gastamos.
Mi7   La

La de Ingenieros llegó,
La   Mi7   La
cantando va y su alegría en la ciudad dejó,
sim   Mi7
y un tuno con aire vacilón
sim   Mi7
te robará el corazón... ¡Mujer!
sim   Mi7   La

Déjate amar por él
La   Mi7   La
y llegarás a enloquecer de amor,
Fa♯   sim
y sentir la vida llena de colores,
Re   Mi7   La Fa♯7
de alegría y buen humor.
sim   Mi7   La

Tu nombre me sabe a yerba

J. M. Serrat

Porque te quiero a ti, porque te quiero,
     Sol   **sim**   **Do**
cerré mi puerta una mañana y me eché a andar.
     Re   **Sol**
Porque te quiero a ti, porque te quiero,
                      sim **Do**
dejé los montes y me vine al mar.
     Re   **Sol**

ESTRIBILLO
Tu nombre me sabe a yerba,
      Do   **Sol**   **mim**
de la que nace en el valle a golpes de sol y de agua.
             Do   **Re**   **Sol**
Tu nombre me lleva atado en un pliegue de tu talle
      Do   **Sol**   **mim**   **Do**
y en el bies de tu enagua.
     Re   **Sol**

Porque te quiero a ti, porque te quiero,
                      sim **Do**
aunque estás lejos yo te siento a flor de piel.
     Re   **Sol**
Porque te quiero a ti, porque te quiero,
                      sim **Do**
se hace más corto el camino aquel.
     Re   **Sol**

ESTRIBILLO
Tu nombre me sabe a yerba...

Porque te quiero a ti, porque te quiero,
                      sim **Do**
mi voz rompe como el cielo al clarear.
     Re   **Sol**
Porque te quiero a ti, porque te quiero,
                      sim **Do**
dejo esos montes y me vengo al mar.
     Re   **Sol**

La la la la la, la la la la la la,
     Do   **Sol**   **mim**
la la la la la la la la la.
     Re   **Sol**

Tus ojos

Popular

Por qué son tus ojos así,
lam   La7   rem
con ese distinto color,
Sol7   Do
pupilas que son para mí
Fa   Mi7
como frases de amor.
lam

Piropos que el cielo te echó,
La7   rem
preguntas que no sé explicar,
Sol7   Do
mañana radiante de sol
Fa   Mi7
o negra oscuridad.
lam

ESTRIBILLO
Yo te quiero, yo te quiero,
La7   rem
tu recuerdo me hace llorar,
Sol7   Do
que otra tuna en tu ventana,
Mi7   lam
al marcharme yo, esta canción cantará.
Fa Mi7   lam

Por qué tanto brillo al reír,
La7   rem
por qué tanta luz al llorar,
Sol7   Do
por qué son tus ojos así,
Fa   Mi7
como el verde del mar.
lam

ESTRIBILLO
Yo te quiero, yo te quiero...

Esta voz cansada se ha escuchado,
rem
me has sentido, me has mirado,
lam
y ahora vuelvo a comprender lo bello
Mi7
[de la vida.
Mi guitarra vibra de alegría,
lam   rem
ahora sé que fuiste mía,
lam
que hoy lo eres, que serás mañana y
Mi7
[siempre.

ESTRIBILLO
Yo te quiero, yo te quiero...

El último beso

Cochran – Omero

¿Por qué se fue?, ¿y por qué murió?,
Sol   mim
¿por qué el señor me la quitó?,
Do   Re
se ha ido al cielo y para poder ir yo
Sol   mim
debo también ser bueno para estar
Do   Re
[con mi amor.
Sol

Íbamos los dos al anochecer,
mim
oscurecía y no podía ver,
Do   Re
yo manejaba, iba a más de cien,
Sol   mim
prendí las luces para leer,
Do   Re   Sol
había un letrero de desviación,
Sol   mim
el cual pasamos sin precaución,
Do   Re
muy tarde fue y al enfrenar
Sol   mim

el carro volcó y hasta el fondo fue a dar.
Do   Re   Sol

Al vueltas dar yo me salí,
mim
por un momento no supe de mí,
Do   Re
al despertar hacia el carro corrí
Sol   mim
y aún con vida la pude hallar.
Do   Re
Al verme lloró y me dijo adiós,
Sol   mim
allá te espero, donde está Dios,
Do   Re
Él ha querido separarnos hoy,
Sol   mim
abrázame fuerte porque me voy.
Do   Re
Al fin la abracé en mis brazos, se sonrió,
Sol   mim
después de un suspiro, en mis brazos
Do   Re
[quedó.
Sol

Una rosa es una rosa

J. M. Cano – N. Cano

Es por culpa de una hembra, que me estoy volviendo loco.
Mi   Si7   do#m   Sol#7

No puedo vivir sin ella, pero con ella tampoco.
La   Sol#7 La   Si7

Y si de este mal de amores yo me fuera pa' la tumba,
Mi   Si7 do#m   Sol#7

a mí no me mandéis flores, que como dice esta rumba:
La   Sol#7 La   Si7

ESTRIBILLO 1
Quise cortar la flor más tierna del rosal
     mim

pensando que de amor no me podría pinchar
     sim/Mi

y mientras me pinchaba me enseñó una cosa.
     lam

Que una rosa es una rosa, es una rosa.
     Re   Si7

(Que una rosa es una rosa, es una rosa.)
     Do   Si7

ESTRIBILLO 2
Y cuando abrí la mano y la dejé caer
     mim

rompieron a sangrar las llagas en mi piel
     sim/Mi

y con sus pétalos me las curó, mimosa,
     lam

que una rosa es una rosa, es una rosa.
     Re   Si7

Pero cuanto más me cura, al ratito más me escuece,
Mi   Si7 do#m   Sol#7

porque amar es el empiece de la palabra amargura.
La   Sol#7 La   Si7

Una mentira y un credo por cada espina del tallo
Mi   Si7   do#m   Sol#7'

que injertándose en los dedos una rosa es un rosario.
La   Sol#7   La   Si7

ESTRIBILLO 1
Quise cortar la flor más tierna del rosal...

ESTRIBILLO 2
Y cuando abrí la mano y la dejé caer...

Un beso y una flor

Armenteros – Herrero

Dejaré mi tierra por ti,
Mi

dejaré mis campos y me iré lejos de
        Re♯   do♯m

           [aquí.

Cruzaré llorando el jardín
  Mi

y con tus recuerdos partiré, lejos de
         Re♯   do♯m

           [aquí.

De día viviré pensando en tu sonrisa,
La   sol♯m   do♯m

de noche las estrellas me acompañarán,
La   sol♯m do♯m

serás como una luz que alumbre mi
  La   sol♯m

           [camino,
          do♯m

me voy pero te juro que mañana
La Mi/Sol♯   fa♯m Mi   Si

          [volveré.
        Si7

ESTRIBILLO
Al partir, un beso y una flor,
Mi Si/Re♯ do♯m

un «te quiero», una caricia y un adiós.
  Mi   La   Mi

Es ligero equipaje para tan largo viaje,
 do♯m   sol♯m La   Si

las penas pesan en el corazón.
  Mi   La   Si

Más allá del mar habrá un lugar
   Mi   Si   do♯m

donde el sol cada mañana brille más,
    Mi   La   Mi

forjarán mi destino las piedras del
  do♯m   sol♯m   La

          [camino,
         Si

lo que nos es querido siempre queda
 Mi   La   La/Si Si

          [atrás.
        Mi

Buscaré un lugar para ti
donde el cielo se une con el mar, lejos
          Re♯

         [de aquí,
        do♯m

con mis manos y con tu amor
  Mi

lograré encontrar otra ilusión, lejos
        Re♯ do♯m

         [de aquí.

De día viviré pensando en tu sonrisa,
    La   sol♯m do♯m

de noche las estrellas me acompañarán,
       La   sol♯m do♯m

serás como una luz que alumbre mi
  La   sol♯m

          [camino,
       do♯m

me voy pero te juro que mañana
La Mi/Sol♯ fa♯m Mi   Si

         [volveré.
       Si7

ESTRIBILLO
Al partir, un beso y una flor...

Un ramito de violetas

E. Sobredo

Era feliz en su matrimonio
sim   mim   La7   Re

aunque su marido era el mismo
Sol   Do#7   Fa#7

[demonio.
sim

Tenía el hombre un poco de mal genio
mim   La7   Re

y ella se quejaba de que nunca fue
Sol   Do#7   Fa#7

[tierno.
sim

Desde hace ya más de tres años
Fa#7   sim

recibe cartas de un extraño,
La7   Re

cartas llenas de poesía
Do#7 Fa#7   sim

que le han devuelto la alegría.
Sol   Fa#7 sim

ESTRIBILLO

Quién le escribía versos, dime quién
mim

[era,

quién le mandaba flores por primavera,
La7   Re

quién cada nueve de noviembre,
Sol   Fa#7

como siempre sin tarjeta,
sim

le mandaba un ramito de violetas.
Sol   Fa#7   sim

A veces sueña y se imagina
mim   La7   Re

cómo será aquel que tanto la estima,
Sol   Do#7   Fa#7   sim

sería un hombre más bien de pelo
mim   La7

[cano,
Re

sonrisa abierta y ternura en las manos.
Sol   Do#7   Fa#7   sim

No sabe quién sufre en silencio,
Fa#7   sim

quién puede ser su amor secreto
La7   Re

y vive así de día en día
Do#7   Fa#7 sim

con la ilusión de ser querida.
Sol Fa#7   sim

ESTRIBILLO

Quién le escribía versos, dime quién...

Y cada tarde, al volver su esposo,
mim   La7   Re

cansado del trabajo la mira de reojo.
Sol   Do#7   Fa#7   sim

No dice nada porque lo sabe todo,
mim   La7   rem

sabe que es feliz así de cualquier modo
Sol   Do#7   Fa#7   sim

porque él es quien le escribe versos,
Fa#7   sim

él, su amante, su amor secreto,
La7   Re

y ella que no sabe nada
Do#7 Fa#7   sim

mira a su marido y luego calla.
Sol   Fa#7   sim

ESTRIBILLO

Quién le escribía versos, dime quién...

Un velero llamado libertad

J. L. Perales

Ayer se fue, cogió sus cosas y se puso
La   Mi

a navegar, una camisa un pantalón
    La   Mi

vaquero y una canción,
   Re   La

dónde irá, dónde irá
   Re   Mi   La

Se despidió y decidió batirse en duelo
            Mi

con el mar y recorrer el mundo en su
   La   Mi

velero y navegar.
  Re   La

Lailalá, navegar.
  Re   Mi   La

ESTRIBILLO

Y se marchó y a su barco le
      Mi   La

llamó libertad y en el cielo
    Mi   La

descubrió gavio_____ tas y pintó
      Mi fa#m La   Mi

estelas en el mar. (2)
  La   Mi

Su corazón buscó una forma diferente
               Mi

de vivir, pero las olas le gritaron:
  La   Mi

«vete con los demás»,
   Re   La

lailalá, los demás.
  Re   Mi   La

ESTRIBILLO

Y se marchó y a su barco... (2)

Y se durmió y la noche le
      Mi   La

gritó: «¿dónde vas?», y en sus
         Mi

sueños dibujó gavio_____ tas
La   Mi fa#m La

y pensó: «hoy debo regresar».
     Mi   La   Mi

Y regresó y una voz le
      Mi   La

preguntó: «¿cómo estás?»,
         Mi

y al mirarla descubrió unos
       La

o_____ jos azules
Mi fa#m La   Mi   La

   [azules como el mar. (2)
     La   Mi

ESTRIBILLO

Y se marchó y a su barco...

El vagabundo

V. Simón – A. Gil

Qué importa saber quién soy,
   rem   Re7   solm
ni de dónde vengo ni por dónde voy.
       rem   La7   rem
Lo que yo quiero son tus lindos ojos, morena,
     Re7   solm   Do
tan llenos de amor.
    Fa

El sol brilla en lo infinito,
  solm   La7
y el mundo es tan pequeñito.
   solm   La7
Qué importa saber quién soy,
    solm   rem
ni de dónde vengo ni por dónde voy,
     La7   rem
lo que yo quiero es que me des tu amor,
    solm   Do   Fa
que me da la vida, que me da calor.
   Si♭7 solm   La7   rem

Tú me desprecias por ser vagabundo,
     solm   La7
y mi destino es vivir así.
  rem La7   rem
Si vagabundo es el propio mundo,
          Do
que va girando en un cielo azul.
   Si♭7   La7

Qué importa saber quién soy,
   solm   rem
ni de dónde vengo ni por dónde voy.
   La7   rem Re7
Lo que yo quiero es que me des tu amor,
     solm   rem
que me da la vida, que me da calor.
   La7   rem Re 7
Qué importa saber quién soy,
  solm   Do   Fa
ni de dónde vengo ni por dónde voy.
 Si♭7   solm   La7 rem

Vals de las velas

Popular

Fa   lam   rem   Re♭   Fa   solm   Do7

Igual que en viejos tiempos,
Fa   solm
con solemne ritual
Do7   Fa   Fa7 Si♭
se apaga de una a una
     Fa   solm
de las velas el brillar.
Do7   Fa   Si♭ Do7 Fa

Igual que en viejos tiempos,
Si♭ Fa   solm
prometemos recordar
Do7   Fa   Fa7   Si♭
las horas de felicidad
    Fa   solm Do7
que acabamos de pasar.
          Fa   Si♭ Do7 Fa

No importa si un destino cruel
Si♭   Fa   solm   Do7
nos ha de separar.
     Fa   Fa7 Si♭
Por siempre nos querremos
    Fa   solm
fiel de estas horas recordar.
Do7   Fa   Do7   Fa

Verde que te quiero verde

P. Andión

Verde que te quiero verde, ¡ay!
Mi   Si7
verde que te quiero verde (2).
                 Mi

Los toros se han rebelado,
               Si7
la impotencia llora y llama
La   Mi
y desde un río de sangre
            Si7
hay una voz que reclama,
           Mi
hay una voz que reclama.

La importancia de un amigo,
               Si7
poeta de cien mil lunas,
La   Mi
garganta dura y hombruna,
           Si7
gitano de profesión, ¡ay!
         Mi
por quien hoy rompo la voz.
           Si7

Verde que te quiero verde, ¡ay!
Mi   Si7
verde que te quiero verde.
          Mi

Se te escapó la mañana
        Si7
por detrás de la Alcazaba,
La   Mi
caminando ya sin prisa, ¡ay!
        Si7
amaestrando sonrisas.
      Mi

Y se tiñeron los campos
           Si7
verdes de la primavera
La   Mi
cuando la nación entera
         Si7
cabalgó sobre tu llanto, ¡ay!
        Mi
tú poeta y ellos tantos.
       Si7

Verde que te quiero verde,
Mi   Si7
verde que te quiero verde.
      Mi

Hoy el verso me reclama
        Si7
una luz y una llamada,
       Mi
un canto de cuerpo y alma
       Si7
como el que el tuyo cantaba, ¡ay!
       Mi
como el que el tuyo cantaba.
      Si7

Y el pueblo llora la calma
y canta porque se ahorca
La   Mi
y hace tu muerte inmortal
       Si7
cada vez que alguien te nombra,
      Mi
Federico García Lorca.
      Si7

Violetas imperiales

J. M. Arozamena – F. López

Violetas para ti, traigo yo una canción,
Do   mim   Fa   Do

la misma que aprendí en tu antiguo
mim   Fa

[pregón.
Do

Te acuerdas en Granada, al pie
Mi7

[del Albaicín,
lam

juntos en el jardín que nos dio su
Re7   Fa

[canción.
Sol7

Era un cielo de primavera,
Do mim lam   rem   Sol7   rem

cuando me dijo la violetera:
rem7 Sol7   Do mim   lam Sol7

Cómpreme usted mis violetas, que son
Do   mim   lam7   rem

[las primeras,
Sol7

van a traerle la suerte, su suerte es mi
Do Si♭

[flor.
Sol7

Piensa que en esta corte francesa,
Do   mim   lam   rem   Sol7

eres más que gitana princesa.
rem rem7   Sol7   La7

Violeta de España,
rem   Fa   fam La♯7

tú, en tierra extraña,
Do   La♯7 La7

vives para el recuerdo de aquel amor.
Do   Fa Sol7 Do

Yo tuve un ruiseñor que llegó a
Do   mim   Fa

[suspirar.
Do

¿Para qué quiero amor si nadie me va
mim   Fa   Do

[a amar?

Ramito de violetas que luzco en el ojal,
Mi7   lam

me siento emperador de violeta
Re7   Fa

[imperial.
Sol7

Sabes que ya no habrá primavera,
Do mim lam   rem   Sol7 rem

si tú no estas aquí, violetera.
rem7 Sol7   Do mim lam Sol7

La primavera ha venido y yo sé por
Do   mim   lam7   Si♭

[qué ha sido,
Sol7

entre las flores que ofreces es como
Do

[una flor.
Si♭ Sol7

Vuelve a tu rincón de la Alhambra,
Do   mim   lam rem   Sol7

donde copia la luna tu zambra.
rem rem7 Sol7   La7

Violeta de España,
rem   Fa   fam La♯7

tú, en tierra extraña,
Do   La♯7 La7

vives dando sentido a mi amor,
Do   Fa   Sol7

[amor.
Do

227

Viva la gente

Viva la gente

ESTRIBILLO
¡Viva la gente!
Sol
La hay donde quiere que vas.
Do   Sol
¡Viva la gente!
Es lo que nos gusta más.
La7   Re7
Con más gente
Sol
a favor de gente,
Sol7
en cada pueblo o nación,
Do   Sol
habría menos gente difícil
Do   Sol
y más gente con corazón,
Re   Sol
habría menos gente difícil
Do   Sol
y más gente con corazón.
Re   Sol

Esta mañana de paseo
Sol
con la gente me encontré,
Do   Sol
al lechero, al cartero y al policía
La7
[saludé.
Re7
Detrás de cada ventana
Sol7
y puerta reconocí
Do   Sol
mucha gente que antes ni siquiera la
Do   Sol Re7
[vi.
Sol

ESTRIBILLO
¡Viva la gente!...

Gente de las ciudades
Sol
y también del interior,
Do   Sol
la vi como un ejército cada vez
La7
[mayor.
Re7
Entonces me di cuenta
Sol
de una gran realidad:
Do   Sol
las cosas son importantes,
Do   Sol
pero la gente lo es más.
Re7   Sol

ESTRIBILLO
¡Viva la gente!...

Dentro de cada uno
Sol
hay un bien y hay un mal,
Do   Sol
mas no dejes que ninguno
Do   Sol
ataque a la humanidad.
Re   Sol
Ámalos como son, mas lucha
Do   Sol
[porque sean
Re
hombres y mujeres como Dios
Do   Sol
quiso que fueran.
Re7   Sol

♩228

Volver

A. Le Pera – C. Gardel

Yo adivino el parpadeo de las luces
lam
[que a lo lejos
rem
van marcando mi retorno.
lam   Sol   Do
Son las mismas que alumbraron
con sus pálidos reflejos hondas horas
Fa   Sol
[de dolor.
Do

Y aunque no quise el regreso
Mi   lam
siempre se vuelve al primer amor.
Fa   Mi
La vieja calle donde el eco dijo
rem   lam
tuya es su vida, tuyo su querer,
Si7   Mi
bajo el burlón mirar de las estrellas
rem   lam
que con indiferencia hoy me ven
rem   lam   Mi7
[volver.
lam   Mi   lam

ESTRIBILLO
Volver con la frente marchita,
La fa#m sim   Mi   La
las nieves del tiempo platearon mi sien,
Re   La   Mi   La La7
sentir que es un soplo la vida,
Re rem   La Fa#
que veinte años no es nada, que febril
sim   Sol#
[la mirada
do#m
errante en las sombras te busca y te
Re   do#m   sim
[nombra,
La

vivir con el alma aferrada a un dulce
Mi fa#m sim   Re   La   rem
[recuerdo
La
que lloro otra vez.
Mi   La   Mi   lam

Tengo miedo del encuentro con el
[pasado que vuelve
rem
a enfrentarse con la vida.
lam   Sol   Do
Tengo miedo de las noches que
Fa
[pobladas de recuerdo
Sol   Do
encadenan mi soñar,
Mi   lam
pero el viajero que huye tarde o
Fa   Sol
[temprano detiene su andar,
Do
y aunque el olvido que todo
[destruye
Mi   lam
haya matado mi vieja ilusión,
Fa   Mi
guardo escondida una esperanza
rem
[humilde
lam
que es toda la fortuna de mi corazón.
Si7   Mi

ESTRIBILLO
Volver con la frente marchita...

Ya viene la vieja

Popular

Ya viene la vieja
Do Sol7 Do   Sol7

con el aguinaldo,
Do   Sol7 Do   Sol7

le parece mucho,
Do solm Do   Sol7

le viene quitando.
Do Sol7   Do   Sol7

Le parece mucho,
Do solm Do   Sol7

le viene quitando.
Do Sol7   Do   Sol7

ESTRIBILLO
Pampanitos verdes,
     Sol7   Do

hojas de limón,
     Sol7   Do

la Virgen María,
   Sol7   Do

Madre del Señor.
     Sol7   Do

Ya vienen los Reyes
Do   Sol7   Do   Sol7

por los arenales,
Do   Sol7   Do   Sol7

ya le traen al Niño
Do   solm   Do   Sol7

muy ricos pañales.
Do   Sol7   Do   Sol7

ESTRIBILLO
Pampanitos verdes...

Oro trae Melchor,
Do   Sol7   Do   Sol7

incienso Gaspar
Do   Sol7   Do   Sol7

y olorosa mirra
Do Sol7   Do   Sol7

trae Baltasar.
Do Sol7   Do   Sol7

ESTRIBILLO
Pampanitos verdes...

Yo te diré

E. Llovet – J. Halpern

Yo te diré por qué mi canción
  rem La7 rem   Si♭   rem   Re7
te llama sin cesar.
  solm   rem
Me falta tu risa, me faltan tus besos,
  solm   rem
me falta tu despertar.
  La7   rem

Mi sangre latiendo,
  solm
mi vida pidiendo
  rem
que tú no te alejes más.
  La7   Re

Cada vez que el viento pasa
se lleva una flor.
  mim   La7
Pienso que nunca más
mim   La7
volverás, mi amor.
        Re

No me abandones nunca
            mim
al anochecer,
    La7
que la luna sale tarde
mim   La7
y me puedo perder.
    Re

Y así sabrás por qué en mi
  rem La7 rem   Si♭   rem
           [canción
              Re7
te llamo sin cesar.
  solm   rem
Me faltan tus besos, me falta tu risa,
  solm   rem
me falta tu despertar.
  La7   rem

Mi sangre latiendo,
  solm
mi vida pidiendo
  rem
que tú no te alejes más.
  La7   Re

Yo vendo unos ojos negros

Nat King Cole

Yo vendo unos ojos negros,
Re
¿quién me los quiere comprar?,
              Mi   La7
los vendo por hechiceros,
    mim   Mi7
porque me han pagado mal.
    mim   La7

ESTRIBILLO
Más te quisiera,
 Re   La7
más te amo yo,
Sol La7 Sol Re
que todas las noches las paso
           Mi   La7
suspirando por tu amor.
  mim   La7   Re

Las flores de mi jardín
con el sol se decoloran
       Mi   La7
y los ojos de mi chata
    mim   Mi7
lloran por el bien que adoran.
  mim   La7

ESTRIBILLO
Más te quisiera...

Cada vez que tengo penas,
me voy a la orilla del mar
          Mi   La7
a preguntarle a las olas
     mim   Mi7
si han visto a mi amor pasar.
   mim   La7

ESTRIBILLO
Más te quisiera...

Ojos negros traicioneros,
¿por qué me miráis así?
        Mi La7
tan alegres para otros
    mim   Mi7
y tan tristes para mí.
  mim   La7

ESTRIBILLO
Más te quisiera...

Y viva España

L. Cortés – L. Rozenstraten – M. Degómez

Entre toros, fandanguillos y alegrías,
rem
nació mi España, la tierra del amor,
Do   **Si♭**   **La7**
nunca Dios pudo igualar tanta belleza
rem
y es imposible que pueda haber dos.
Do   **Si♭**   **La7**
España ha sido siempre y lo será
Si♭   **La7**
eterno paraíso sin igual.
Mi7   **La**

ESTRIBILLO
Por eso se oye este refrán,
Re
que viva España,
Re   **La7**
y siempre la recordarán,
La7
que viva España.
Re
La gente canta con ardor,
Re

que viva España,
Re   **La7**
la vida tiene otro color,
La7
España es la mejor.
Re

Qué bonito es el mar Mediterráneo,
rem
la Costa Brava y la Costa del Sol.
Do   **Si♭**   **La7**
El fandango y la sardana me
rem
                                    [emocionan,
porque en sus notas hay vida y
Do   **Si♭**
                                    [hay calor.
                                    La7
España ha sido siempre y lo será
Si♭   **La7**
eterno paraíso sin igual.
Mi7   **La7**

ESTRIBILLO
Por eso se oye este refrán...

Zamba de mi esperanza

L. Morales

Zamba de mi esperanza,
Mi
amanecida como un querer,
Si7
sueño, sueño del alma,
La   **Mi**
que a veces muere sin florecer.
Si7   **Mi**   **Mi7**

Zamba, a ti te canto,
Mi
porque tu canto derrama amor,
Si7
caricia de tu pañuelo,
La   **Mi**
que va envolviendo mi corazón.
Si7   **Mi**   **Mi7**

Estrella, tú que miraste,
Mi
tú que escuchaste mi padecer,
Si7
estrella, deja que cante,
La   **Mi**
deja que quiera como yo sé.
Si7   **Mi**   **Mi7**

El tiempo que va pasando,
Mi
como la vida, no vuelve más,
Si7
el tiempo me va matando,
La   **Mi**
y tu cariño será, será.
Si7   **Mi**   **Mi7**

Hundido en el horizonte,
Mi
soy polvareda que al viento va,
Si7
zamba, ya no me dejes,
La   **Mi**
yo sin tu canto no vivo más.
Si7   **Mi**   **Mi7**

Zapatero

M. García

Sol lam Sol lam

Penacho de plumas, penacho de
Do   Fa   Do   lam
                [espuma
como de cerveza,
    mim   Fa
como rubia trenza que no cesa.
    Sol   Do

Sol lam Sol lam

De subir, de subir a lo alto
Fa   Sol   lam
hasta la azotea a mirar el cielo.
    Fa Sol   lam   Fa
Dónde vives ahora, en una casa baja;
    lam   Fa
dónde pasas las noches, en tu cama
    Sol   Mi   lam
         [de escarcha.
        Sol lam Sol   lam

Mándame en un sobre tu sonrisa rota.
    Do   Fa   Do   lam
Rápido García, yo te la compongo.
    Fa   Sol
Se reparan botas, bolsos de cuero y
    Do   Fa   Sol   lam
         [alpargatas,
canastos de mimbre, diademas de
    Fa   Sol   lam
         [borlas.

ESTRIBILLO
Que no hay nada más,
    Do
que no hay nada más
    mim

mientras nuestros labios se quieran
    Fa   Do
         [besar.
Que no hay nada más,
    Sol
que no hay nada más
    lam
mientras nuestras bocas se quieran
    Fa   lam
         [besar.

Con nieve de nardo yo te la remiendo.
    Do   Fa   Do   lam
Con tela del aspa de un molino viejo.
    Fa   Sol   lam
Con polvo del brillo de un trozo de
    Fa   Sol   lam
         [espejo.
Con el rabo blanco de un gato perplejo.
    Fa   Sol   lam

ESTRIBILLO
Que no hay nada más...

Que no hay nada más,
    Mi
que no hay nada más
    lam
mientras nuestros labios se quieran
    Fa   lam
         [besar.

Mándame en un sobre tu sonrisa rota.
    Do   Fa   Do   lam
Yo te la compongo, que soy zapatero.
    Sol Fa   Do
Que soy zapatero,
    Fa   Do
que soy zapatero remendón.
    Fa   Do

Índice de canciones

Horas de ronda: *Villena – Villellas*

Isa canaria: *popular*
Islas Canarias: *J. M. Tarridas*

Jamás, jamás: *«Chucho» Navarro*
Júrame: *M. Grever*

Lágrimas negras: *M. Matamoros*
Lamento borincano: *R. Hernández*
Lamento gitano: *M. Grever*
Libre: *Armenteros – Herrero*
Lisboa antigua: *R. Portela*
Lo dejaría todo: *Chayanne*
Lucía: *J. M. Serrat*
Luna de España: *Moraleda – Llovet – Lara*
Luna de Xelajú: *popular*
Luna lunera: *T. Fergo*
Luna rossa: *V. de Crezcenzo – A. Vian*

Macarena: *Los del Río*
Madrecita: *O. Farrés*
Madrid: *A. Lara*
Madrigal: *D. Rivera*
Malagueña salerosa: *E. Ramírez – E. Lecuona*
María Elena: *L. Barcelata*
María Isabel: *Los Diablos*
El martillo: *popular*
Me lo decía mi abuelito: *J. A. Goytisolo –*
    P. Ibáñez
Me va a extrañar: *R. Montaner – V. Tasello*
Me voy pa'l pueblo: *M. Valdés*
México lindo y querido: *«Chucho» Monje*
Mi buen amor: *G. Estefan*
Mi burrito cordobés: *G. López*
Mi jaca: *popular*
Mi niña bonita: *popular*
Mi querida España: *E. Sobredo*
Mira que eres linda: *J. Brito*
Mitad tú, mitad yo: *popular*
Mi viejo San Juan: *popular*
Moliendo café: *J. Manzano – H. Blanco*
La morena de mi copla: *Jofre – Castellanos*
Morenita mía: *A. Villarreal*
Muñequita linda: *M. Grever*

Naranjo en flor: *H. Expósito – V. Expósito*
Navidad: *popular*
Noche de paz: *F. Gruber*
Noche de ronda: *A. Lara*

Ojalá que llueva café: *J. L. Guerra*
Ojos españoles: *popular*
Ojos tapaítos: *popular*
Óyeme: *popular*

Pájaro chogüí: *popular*
Paloma negra: *T. Méndez*
Papaoba: *A. Machín*
Los peces en el río: *popular*
Penélope: *J. M. Serrat – A. Algueró*
Perdón: *P. Flores*
La peregrinación: *F. Luna – A. Ramírez*
Perfidia: *A. Domínguez*

Piel canela: *B. Capó*
El pobre Miguel: *popular*
Pongamos que hablo de Madrid: *Sabina –*
    Sánchez
Porompompero: *M. Escobar*
El preso número nueve: *hnos. Cantoral*
La puerta: *L. Demetrio*

Que canten los niños: *J. L Perales*
Que nadie sepa mi sufrir: *A. Cabral – E. Dizeo*
Quién será: *P. Beltrán*
Quisiera ser: *Guijarro – De la Calva – Arcusa*

Recuerdos de Ypacaraí: *D. Ortiz*
El reloj: *R. Cantoral*
El rey: *J. A. Jiménez*

Sabor a mí: *A. Carrillo*
El sagrado nacimiento: *popular*
Santa Bárbara: *popular*
Sapo cancionero: *R. Cantoral*
Siete vidas: *popular*
Sin miedo: *Rosana*
La sirena: *popular*
Si tú me dices ven: *A. Gil*
Si vas a Calatayud: *S. Valverde – R. Zarzoso*
Solamente una vez: *A. Lara*
Soldadito boliviano: *N. Guillén – P. Ibáñez*
Sólo con un beso: *popular*
Sólo le pido a Dios: *Gieco*
Somos: *M. Clavell*
Sueño su boca: *Raúl*
Susanita: *E. Aragón*

El tamborilero: *popular*
Te doy una canción: *S. Rodríguez*
Tómame o déjame: *J. C. Calderón – Mocedades*
El toro y la luna: *popular*
Tres veces guapa: *M. Laredo*
La tuna llegó: *popular*
Tu nombre me sabe a yerba: *J. M. Serrat*
Tus ojos: *popular*

El último beso: *Cochran – Omero*
Una rosa es una rosa: *N. Cano – J. M. Cano*
Un beso y una flor: *Armenteros – Herrero*
Un ramito de violetas: *E. Sobredo*
Un velero llamado libertad: *J. L. Perales*

El vagabundo: *V. Simón – A. Gil*
Vals de las velas: *popular*
Verde que te quiero verde: *P. Andión*
Violetas imperiales: *J. M. Arozamena –*
    F. López
Viva la gente: *Viva la gente*
Volver: *A. Le Pera – C. Gardel*

Ya viene la vieja: *popular*
Yo te diré: *E. Llovet – J. Halpern*
Yo vendo unos ojos negros: *Nat King Cole*
Y viva España: *Cortés – Rozenstraten – Degómez*

Zamba de mi esperanza: *L. Morales*
Zapatero: *M. García*